LONKENDE TOEKOMST

Olga van der Meer

Lonkende toekomst

Westfriesland

www.kok.nl

NUR 344
ISBN 978 90 205 2995 1

© 2010 Westfriesland, Kampen
Omslagillustratie: Jack Staller
Omslagontwerp: Van Soelen Communicatie

HOOFDSTUK 1

Tersluiks keek Tanja Noordeloos naar het afwijzende gezicht van haar vader. Ze wist dat hij het niet met haar plannen eens zou zijn. Maar ze was drieëntwintig, ze kon heel goed zelf bepalen wat ze met haar leven wilde. Haar ouders konden haar in ieder geval niet tegenhouden, al was het prettiger als ze achter haar zouden staan.

'Ik vind het niet verstandig van je, Tanja,' zei Gerbrand Noordeloos.

'Pap, ik ben al drieëntwintig.'

'Pas drieëntwintig,' verbeterde hij haar. 'Jongelui van jouw leeftijd denken altijd de wijsheid in pacht te hebben, maar je staat nog maar aan het begin. Waarom wil je alles vergooien voor die jongen?'

'Die jongen heeft een naam, hij heet Benjamin,' zei Tanja scherp. 'Het wordt je schoonzoon, het zou prettig zijn als je hem niet altijd aanduidt met 'die jongen'.'

'Dat valt nog maar te bezien. Persoonlijk vind ik jullie totaal niet bij elkaar passen.'

Tanja haalde diep adem. Dit soort opmerkingen had ze kunnen verwachten. Al sinds ze Benjamin had leren kennen, liet haar vader zich op deze manier over hem uit. En dat terwijl er niets op hem aan te merken was. Benjamin van Straaten was zesentwintig jaar, studeerde voor arts en werkte in het plaatselijke ziekenhuis. Hij was ambitieus en werkte keihard om iets te bereiken in zijn vak.

'Als ik nou thuis was gekomen met een man met een uitkering die de hele dag op de bank zit te blowen, had ik begrip gehad voor je houding, nu slaat het helemaal nergens op,' zei Tanja dan ook nijdig. Ze wendde zich tot haar moeder, die er tot nu toe zwijgend bij had gezeten.

'Zeg jij nu ook eens iets, mam. Zo vreemd is het toch niet dat Benjamin en ik samen willen gaan wonen? Jullie waren nota bene jonger dan wij toen jullie trouwden.'

'Dat was een heel andere tijd en in niets te vergelijken met nu,' merkte Aafke op. 'Als jij graag wilt gaan samenwonen heb ik

5

daar in principe niets op tegen, het gaat ons om de manier waarop. Dat jij parttime wilt gaan werken zodat je alle tijd hebt om je op je huishouden te storten vind ik nogal ver gaan. Het is volledig achterhaald ook. Neem een werkster in dienst als je niet wilt dat je huis versloft.'

'Daar gaat het niet alleen om,' begon Tanja, opnieuw, hun plannen te verdedigen. 'Benjamin heeft het enorm druk, hij kan weinig tijd vrijmaken naast zijn studie en zijn assistentschap. Als ik fulltime blijf werken zit ik vast aan onregelmatige diensten en dan zien we elkaar bijna nooit. Nu krijg ik de kans om drie vaste dagen per week te gaan werken, gewoon van negen tot vijf. Als ik dat doe, hebben we tenminste nog een enigszins geregeld leven. Anders zijn we net twee vreemden die toevallig in hetzelfde huis wonen en elkaar zo af en toe eens tegenkomen in de gang.'

'Maar je eigen carrière kun je op deze manier natuurlijk wel vergeten,' bromde Gerbrand.

'Welke carrière? Ik werk als verpleegkundige in een verzorgingstehuis, veel promotiemogelijkheden zijn er niet.'

'Nu word je een soort veredelde verpleeghulp, die eten en drinken rond mag brengen.'

'Dat slaat helemaal nergens op,' zei Tanja nijdig. 'Ik blijf gewoon hetzelfde werk doen, alleen voortaan op vaste tijden.'

'Je bent wel erg jong voor zo'n stap,' waarschuwde Aafke haar dochter. 'Een geregeld leven kun je altijd nog gaan leiden. Hou er ook rekening mee dat de verhouding met je collega's anders wordt. Je bent niet meer automatisch overal bij betrokken en komt toch buiten de groep te staan op deze manier. Denk er alsjeblieft goed over na.'

'Dat heb ik al gedaan en mijn besluit staat vast,' hield Tanja koppig vol. 'Mijn relatie met Benjamin vind ik belangrijker dan wat dan ook. Eigenlijk hadden we nog een jaar willen wachten, maar nu we die flat zo in onze schoot geworpen krijgen nemen we die kans met beide handen aan. Over twee weken krijgen we de sleutel en dan kunnen we in principe meteen over. Er hoeft niets aan gedaan te worden.'

'In dat geval valt er ook weinig meer te bespreken, als jullie plannen toch al vaststaan,' zei Aafke.

'Ik zou het prettig vinden als jullie het ermee eens zijn,' bekende Tanja.

'Dat zijn we dus niet, maar goed, het is jouw leven. Meer dan je waarschuwen kunnen we je niet.' Aafke trok een zuinig mondje. 'Laten we het dan maar eens over je uitzet hebben. Wat heb je nog nodig voordat je gaat verhuizen?'

Tanja glimlachte. Dat was haar moeder ten voeten uit. Weinig sentimenteel en meteen overschakelend op de praktische zaken. Hoewel haar ouders niet stonden te juichen bij haar toekomstplannen, wist Tanja dat ze haar ook niet tegen zouden houden nu de beslissing gevallen was. Het enige risico dat ze liep, was dat haar moeder in het geval van problemen tussen Benjamin en haar, weinig subtiel zou roepen dat ze dat al voorspeld had. Maar daar was Tanja niet bang voor. Tussen haar en Benjamin zat het wel goed. Ze verlangde ernaar om samen met hem in één huis te wonen en hun levens te delen. Weg uit de soms verstikkende sfeer thuis. Aafke en Gerbrand waren al ruim tien jaar getrouwd toen Tanja zich onverwachts aankondigde en ze hadden hun enige kind altijd overstelpt met goedbedoelde raadgevingen en waarschuwingen. Het werd hoog tijd dat ze zich daar eens aan onttrok. Haar ouders zagen altijd leeuwen en beren op hun weg en daardoor had Tanja wel eens het gevoel dat ze veel mis was gelopen in haar leven. Uitgaan mocht ze vroeger bijvoorbeeld nooit en toen ze eenmaal de leeftijd kreeg om zich niets meer van dat verbod aan te trekken vond ze er niet veel aan. Ze was zo vaak uitgebreid gewaarschuwd voor alle gevaren die er voor jonge meisjes op de loer lagen, dat ze voortdurend angstig om zich heen keek en met niemand een praatje aan durfde te knopen. Ze had een paar goede vriendinnen, maar nog nooit eerder had ze een vriendje gehad. Jongens waren maar uit op één ding, was haar altijd voorgehouden. Daar kon ze zich maar beter verre van houden. Het had Benjamin heel wat moeite gekost om door haar schild van angst heen te breken. Tanja was bedeesd en bezat weinig zelfvertrouwen, ze kon maar moeilijk geloven dat een aanstaande dokter haar de moeite waard vond. Haar vrije tijd bracht ze over het algemeen thuis door, starend naar de televisie, lezend of bezig met haar grote hobby, het opknappen en inrichten van poppenhuizen. De zolder van haar ouderlijk huis stond er vol mee, want bij gebrek aan andere bezigheden stak ze daar heel veel tijd in.

Vanaf nu zou daar echter verandering in komen. Onder leiding van Benjamin ging ze voortaan alleen nog maar genieten, nam ze zich voor. Benjamin was een man die, naast zijn werk, het principe huldigde van 'lang leve de lol'. Hoe serieus hij in het ziekenhuis was, zo vrolijk en luchthartig stortte hij zich daarnaast in het uitgaansleven. Hij ging op de bonnefooi op vakantie, maakte zich nooit ergens druk om en bleef het liefst ver uit de buurt van mensen met problemen. Piekeren was slecht voor de bloeddruk, beweerde hij steevast. Een mens was op aarde om hard te werken en daarnaast te genieten en dat deed hij dan ook met volle teugen. Tanja trok zich aan die houding op. Benjamin was een heerlijke tegenstelling met haar ouders, die behoorlijk zwaar op de hand waren. Ze zag hun gezamenlijke toekomst, die ineens heel snel dichterbij was gekomen door de flat die ze via vrienden van Benjamin konden huren, dan ook met verlangen tegemoet.

Voordat ze de sleutel van hun toekomstige behuizing kregen, maakte Tanja een poppenhuis op schaalgrootte van hun flat. Vanuit haar onuitputtelijke voorraad meubeltjes en andere spullen, stoffeerde ze de flat en richtte ze hem in zoals ze hun woning graag wilde hebben. Voorlopig moesten ze het doen met haar meubels uit haar meisjeskamer thuis en wat tweedehands aangeschafte spullen, maar ooit zouden ze allemaal nieuwe meubels kopen en het helemaal naar hun zin inrichten. Vooruitlopend op dat moment leefde ze zich helemaal uit in haar fantasiehuisje.

Op de dag van hun verhuizing troonde ze Benjamin mee naar de zolder.

'Kijk,' wees ze. 'Onze flat op schaal. Zo wil ik het ooit hebben, schat.'

Benjamin schoot in de lach. 'Lieverd, tegen de tijd dat we dergelijke meubels kunnen betalen, wonen we daar allang niet

meer. Dan verdienen we genoeg voor een ruime eengezinswoning met tuin.'
'Daar heb ik helemaal niet bij stilgestaan,' bekende Tanja enigszins spijtig.
'Het zou onzin zijn om nu veel geld uit te geven aan een dure
inrichting, we kunnen beter sparen voor een echt huis,' merkte
Benjamin verstandig op. 'Regeren is vooruitzien, Tanja. Over
een paar jaar verdien ik bakken met geld, dan blijf ik echt niet
in zo'n armoedig flatje wonen.'
'Dan richt ik wel vast een eengezinswoning in, materiaal genoeg,' lachte Tanja alweer. 'Dan wordt dat gewoon ons toekomstige droomhuis.'
'Je bent toch niet van plan om al deze rommel mee te verhuizen?' vroeg Benjamin met hoog opgetrokken wenkbrauwen.
'Natuurlijk wel. Dit is mijn hobby.'
'Lieve schat, daar hebben we helemaal geen ruimte voor. Onze
flat is amper groter dan deze enorme zolder.'
'We hebben dat kamertje naast de keuken, die staat leeg.'
'Daar kun je dit allemaal niet in kwijt, dan kun je echt geen kant
meer op. Nee hoor, laat dit maar hier staan. Als je zin hebt om
met je poppenhuizen bezig te zijn kun je toch gewoon hierheen
gaan? Het is amper een kwartier fietsen.'
Tanja zweeg. Ergens had hij gelijk, moest ze toegeven. Aan de
andere kant stond het haar tegen om haar geliefde spulletjes
niet mee te nemen. Ze hoorden bij haar. Ze vond het heerlijk om
zich helemaal te verliezen in het stofferen en inrichten van haar
minihuizen. Het gebeurde vaak dat ze zomaar een ingeving
kreeg over hoe iets het beste gemaakt kon worden en dan
wilde ze dat meteen uitproberen. Als ze dan eerst op haar fiets
moest stappen om naar haar ouderlijk huis te rijden, waar haar
moeder haar dan ook nog aan de praat zou houden, zou die lust
snel verdwenen zijn.
'Ik vind dat niet prettig,' gaf ze aarzelend aan.
Benjamin trok haar in zijn armen. 'Het is maar tijdelijk. We blijven hooguit twee jaar in die flat wonen. Als we straks een eigen
huis hebben, wordt de zolder jouw domein,' beloofde hij haar.
'Dan wil ik in ieder geval wel de replica van de flat meenemen

en één doos met materiaal,' bedong ze. 'Als we dan iets in de flat willen veranderen, kan ik het eerst in het klein uitproberen.'

Benjamin stemde daarin toe. Hij tilde het houten bouwwerk op en sjouwde het de trap af. Tanja volgde met een kunststof box die vol zat met lapjes stof, stukjes vloerbedekking, stalen behang en meubeltjes die ze in de loop der tijd had gemaakt van allerhande materialen. Het ging haar aan haar hart om de rest achter te laten, maar veel keus had ze niet. Benjamin had gelijk met zijn bewering dat het kamertje te klein was en ze kon moeilijk de hele flat volstouwen met haar hobbyspullen. Zo ging het nu eenmaal in een relatie. Geven en nemen, onderhandelen, compromissen sluiten. Ze had nu niet meer alleen met zichzelf te maken, ze moesten leren rekening te houden met elkaars wensen. Dat was deze eerste keer dat hun meningen tegenover elkaar stonden in ieder geval prima gelukt, troostte ze zichzelf. Ze hadden allebei wat toegegeven en waren er zonder ruzie uitgekomen. Hopelijk was dat een voorbode voor de rest van hun leven, want er zouden ongetwijfeld vaker situaties komen waarin ze het niet met elkaar eens waren.

'Waar bleven jullie zolang?' vroeg Aafke met een misprijzend gezicht. 'Je vader heeft al je dozen al in het busje geladen.'

'We moesten wat spullen uitzoeken op zolder,' antwoordde Tanja. Ze wees naar de miniflat en de box. 'Dit gaat mee, de rest kunnen we niet kwijt.'

'Je bedoelt dat je die rommel hier laat?' Aafkes mond vertrok tot een smalle streep. 'Daar ben ik niet blij mee, Tanja. Je wilt zo nodig het huis uit, dan is het ook de bedoeling dat je je troep meeneemt.'

'Mam, ik heb nu geen tijd om daarover in discussie te gaan,' zei Tanja met een blik op haar horloge. 'Judith, Fay en Claudine staan zo voor de flat om te helpen uitpakken terwijl Benjamin zijn eigen spullen op gaat halen. We hebben het er nog wel over, goed?' Ze liep naar haar moeder toe en omhelsde haar. 'Ik kom heel snel langs voor jouw onovertroffen koffie. Die zal ik missen.' Ze grijnsde om de ontroering die haar plotseling overviel te verdoezelen.

'Moet je maar niet verhuizen,' zei Aafke. Ze probeerde manmoedig het als een grapje te laten klinken. 'Dag kind. Ik bel je vanavond.'

'Waar blijven jullie nou?' klonk de ongeduldige stem van Gerbrand vanuit de deuropening.

'Ik kom eraan. Dit moet nog mee, pap, dan hebben we alles.' Tanja wees naar het poppenhuis, waar Benjamin nog steeds mee in zijn handen stond. Na een korte groet naar Aafke liep hij nu snel naar buiten om het in het busje te zetten.

'Ik mag toch hopen dat ze dat niet meende,' zei hij later tegen Tanja, toen ze in zijn zesdehands autootje achter het busje met daarin Gerbrand, naar de flat reden.

'Wat bedoel je?'

'Dat ze vanavond belt. Ik zit echt niet te wachten op zo'n schoonmoeder uit een moppenboekje, die om de haverklap aan de telefoon hangt en op de gekste momenten onaangekondigd op de stoep staat.'

'Doe normaal.' Omdat ze toch net voor een rood verkeerslicht stonden porde Tanja hem lachend in zijn zij. 'Dat is niets voor mijn moeder. Die komt echt niet als ze niet nadrukkelijk uitgenodigd wordt.'

'Laten we het hopen, dan zien we haar tenminste niet zo vaak.' Benjamin lachte luid.

Tanja's gezicht vertrok. 'Dat vind ik geen leuke opmerking.'

'Ik vond het van haar geen leuke opmerking toen ze zei dat je al je troep mee moest nemen. Alsof het voor hen wat uitmaakt dat jouw spullen op die zolder staan. Ze hebben een kast van een huis, waar makkelijk drie gezinnen in gehuisvest kunnen worden.'

'Ik ben haar enige kind. Uiteraard vindt mijn moeder het niet leuk dat ik het huis uitga, daarom deed ze zo bot,' wist Tanja. 'Ze was gewoon bang dat ze zou gaan huilen en dat wilde ze absoluut niet.'

'Je hebt de leeftijd om uit te vliegen, hoor,' merkte Benjamin luchthartig op. Hij draaide de straat in waar hun flat zich bevond en wees naar twee jonge vrouwen. 'Kijk, je vriendinnen staan al te wachten. Twee ervan, althans. Kom schat, we gaan

11

uitladen en ons eigen plekje maken van de flat. Ik kan niet wachten tot we klaar zijn, dan kan ons leven samen tenminste echt beginnen.'

Tanja glimlachte alweer, al had zijn botte opmerking haar echt geraakt. Maar ach, Benjamin kwam uit een gezin dat als los zand aan elkaar had gehangen en waar geen enkele zorg voor elkaar was. Hij zag zijn ouders en twee broers slechts sporadisch en voelde geen enkele band met zijn familieleden. Ze kon niet verwachten dat hij zich in kon leven in de gevoelens van haar of haar ouders in deze omstandigheden. Zijn eigen moeder had niet eens de moeite genomen om thuis te zijn op het moment dat Benjamin zijn spullen verhuisde naar de studentenflat waar hij sinds vier jaar woonde, had hij haar wel eens verteld. Ze had hem nooit echt gedag gezegd en geen traan gelaten om zijn vertrek. Dan had zij toch liever haar eigen moeder, die behoorlijk stug kon doen en erg bot over kon komen, maar die het wel goed met haar meende. Tanja was nooit liefde of zorg tekort gekomen, integendeel zelfs. Desondanks had ze enorm veel zin in het nieuwe leven dat haar wachtte. Opgewekt sprong ze dan ook uit de auto.

'Judith komt niet,' zei haar vriendin Fay meteen. 'Ze stuurde een sms dat ze een migraineaanval heeft. Dat hadden we natuurlijk kunnen verwachten. Judith mankeert altijd iets als er gewerkt moet worden.' Haar stem klonk spottend.

'Ze heeft vaker van die aanvallen en dat is echt heel erg,' verdedigde Tanja haar vriendin. 'Soms is ze er wel een week beroerd van.'

'Hm, zolang duurt jouw verhuizing niet, dus ik vermoed dat ze er dit keer wel binnen een dag vanaf is,' bromde Fay. Zij had niet zoveel vertrouwen in de motieven van Judith, die zeker geen favoriet van haar was.

Claudine, Tanja's derde vriendin, knikte instemmend. Zij was het helemaal met Fay eens. 'We hadden zelfs al gewed dat ze er niet zou zijn vandaag,' grinnikte ze. 'Maar met zijn drieën krijgen wij die dozen ook wel uitgepakt, hoor. Kom op, meiden, we gaan aan de slag.'

Ze werkten een paar uur stevig door terwijl Gerbrand en

Benjamin naar Benjamins studentenkamer reden om daar alles op te halen. Aan het einde van de dag had alles een plekje gekregen en namen Gerbrand, Fay en Claudine afscheid van het jonge stel.

'Eindelijk.' Met een zucht liet Benjamin zich in een van de stoelen zakken die tot vanochtend in Tanja's kamer thuis hadden gestaan. De hele huiskamer leek trouwens een kopie van haar kamer thuis, ontdekte Tanja terwijl ze om zich heen keek. In het enorme huis van haar ouders had zij een kamer bewoond die een stuk groter was dan de ruimte die Benjamin tot zijn beschikking had in de studentenflat. Op het bed en haar kledingkast na, stond de complete inrichting daarvan nu in hun huiskamer. Het gaf haar een vreemd gevoel. Net of ze nog niet helemaal vertrokken was uit haar ouderlijk huis. Ze durfde het bijna niet te zeggen, maar de flat viel haar een beetje tegen. De slaapkamer was amper groot genoeg voor hun bed en de twee kasten, het kamertje naast de keuken had meer weg van een diepe kast en de douche en het toilet bevonden zich in één ruimte. Het behang, dat er zo goed had uitgezien toen ze de flat voor het eerst hadden bekeken, vertoonde nu lichte plekken op de plaatsen waar de vorige bewoners hun schilderijen hadden hangen en de vloerbedekking was hier en daar versleten. Het was totaal anders dan Tanja zich had voorgesteld en in niets te vergelijken met wat ze in haar poppenhuis had gecreëerd.

'Ik was blij met de hulp van je vader en je vriendinnen, maar ik ben nog veel blijer dat ze weg zijn,' zei Benjamin op dat moment, haar overpeinzingen verstorend. Hij strekte zijn arm naar haar uit. Tanja ging voor hem op de grond zitten, met haar hoofd tegen zijn knieën aan. 'Nu zijn we tenminste samen.'

Tanja glimlachte en wreef haar hoofd tegen hem aan, als een poes die kopjes geeft. Wat gaf het dat het niet zo was zoals ze zich in haar roze dromen had voorgesteld? Benjamin had gelijk; ze waren nu samen en dat was het enige wat telde. Met een nieuw behangetje en een likje verf zou de flat al enorm opknappen, bedacht ze optimistisch. Ze had tijd genoeg nu ze nog maar drie dagen per week werkte, dus ze kon er heel wat van maken. Wat ze altijd in het klein deed in haar poppenhuizen, ging ze nu gewoon in het groot aanpakken. In een mum van tijd zou deze, enigszins armoedige, flat dan veranderen in een klein paleisje.

Ze kwam omhoog tot ze op haar knieën zat en draaide zich naar Benjamin toe.

'Ik hou van je,' zei ze simpel.

'Kijk, dat hoor ik graag,' zei hij met een brede lach op zijn gezicht. Hij pakte haar vast, trok haar op zijn schoot en begon langzaam de knoopjes van haar blouse los te maken. 'Vind je het geen heerlijk idee dat we kunnen doen wat we willen zonder dat we bang hoeven te zijn dat iemand ons komt storen?'

Op dat moment begon Tanja's mobiel te rinkelen. Een verwensing slakend wilde ze overeind komen, maar Benjamin hield haar tegen.

'Laat gaan,' zei hij met zijn lippen tegen haar wang.

'Het is vast mijn moeder.'

'Daarom juist. Je bent volwassen en woont nu op jezelf, schat. We hebben op dit moment betere dingen te doen dan telefoontjes van je moeder aannemen. Ze moet er maar meteen aan wennen dat je niet meer thuis woont.'

Niet helemaal overtuigd liet Tanja zich overhalen. Het duurde lang voor het melodietje van haar mobiel ermee ophield. Toen kon ze zich pas helemaal overgeven aan Benjamins omhelzing, al liet het schuldgevoel zich niet helemaal wegdrukken. Ik bel haar morgenochtend meteen terug, nam ze zich voor terwijl zijn handen over haar lichaam dwaalden en zijn mond de hare zocht.

HOOFDSTUK 2

'Waar was je gisteravond? Ik heb een paar keer geprobeerd je te bellen.' Aafkes stem klonk niet alleen verontwaardigd, maar ook ongerust, waardoor Tanja's schuldgevoel nog verder werd aangewakkerd.

'Mijn batterij was leeg,' loog ze terwijl ze ongemakkelijk heen en weer schoof op haar stoel. Benjamin zou kwaad worden als hij dit hoorde, wist ze. Hij vond dat ze haar moeder gewoon eerlijk moest vertellen dat ze geen zin had gehad om op te nemen. Tanja kon dat echter niet over haar hart verkrijgen. Het klonk zo bot, al was het dan wel de waarheid.

'Dat lijkt me stug. Je had hem gisterochtend hier thuis nog aan de oplader liggen,' zei Aafke afgemeten.

'Dan stond hij waarschijnlijk uit,' zei Tanja met de moed der wanhoop.

'Ik had gezegd dat ik je zou bellen, daar had je op moeten letten.'

'Sorry mam, maar we hadden het heel erg druk. Verhuizen is een heleboel werk. We zijn de hele avond nog aan het uitpakken en veranderen geweest. Zoals we de meubels eerst hadden staan beviel het ons toch niet, dus zijn we gaan slepen,' ratelde Tanja in de hoop haar moeder af te leiden. 'Het duurde uren voor we klaar waren en toen waren we echt uitgeput. Maar het is leuk geworden zo. Je komt toch wel snel een keer kijken?'

'Ik zie wel. Hier liggen trouwens nog een paar boeken van je. Wanneer kom je die ophalen?'

'Binnenkort kom ik langs. Waarschijnlijk begin volgende week,' beloofde Tanja.

'Dan pas?' ontviel het Aafke.

'Ik moet ook nog werken, mam.'

'Drie dagen per week. Zoveel stelt dat niet voor. Enfin, kijk maar wat je doet. Het zal heus wel wennen om je niet meer iedere dag te zien.'

'Kom jij dan vanmiddag naar mij toe,' stelde Tanja inwendig zuchtend voor. 'Je hebt de flat nog helemaal niet gezien.

Dan kun je die boeken meteen meenemen.'

'Ik wil me niet aan jullie opdringen.'

'Je bent mijn moeder en ik wil graag dat je komt,' zei Tanja niet helemaal naar waarheid. Eerlijk gezegd zat ze helemaal niet te wachten op een bezoekje van haar moeder op de eerste dag dat ze uit huis was, maar zoiets zou ze nooit zeggen.

'Goed dan. Dan ben ik er over een uur,' zei Aafke, hoewel het pas half tien in de ochtend was.

Tanja zuchtte onhoorbaar terwijl ze om zich heen keek. De ontbijtboel stond nog op tafel, de keuken was rommelig omdat ze nog niet goed wist hoe ze die in wilde ruimen en zij liep nog in haar oude duster rond. Het zou hard aanpoten worden om zowel zichzelf als de flat op orde te krijgen voor haar moeder arriveerde. Ze kende Aafke echter goed genoeg om te weten dat die zeer beledigd zou reageren als ze haar zou vragen om later te komen. Waarschijnlijk zelfs zo beledigd dat ze helemaal niet meer kwam en hoewel die verleiding best groot was, durfde Tanja het toch niet aan. Haar moeder was een vrouw met wie je makkelijk ruzie kreeg en dat was het laatste wat ze wilde. Ze had nooit goed tegen haar in durven gaan. Het zou ook onzin zijn om daar nu, nu ze het ouderlijk huis had verlaten, mee te beginnen.

Ze nam een snelle douche, legde de oude spijkerbroek die ze aan had willen trekken opzij en trok een keurige rok aan met een wit bloesje erop. Gehaast begon ze daarna de ontbijtboel op te ruimen. Aan de keuken kwam ze echter niet meer toe. Amper drie kwartier na het telefoontje ging de deurbel over. Aafke stond met een grote bos bloemen op de stoep.

'Hier kind, voor je nieuwe woning,' zei ze terwijl ze haar dochter een kus gaf.

Verbouwereerd bleef Tanja even met het enorme boeket staan.

'Heel mooi, mam. We hebben alleen nog geen vaas om ze in te zetten. Ik doe ze even in een emmer, dan ga ik vanmiddag een vaas kopen, goed?'

'Kijk maar. Ik dacht anders dat jullie alles op orde hadden. Dat zei je tenminste.'

'Alles wat nodig is hebben we, ja. Bij vazen heb ik echter nooit stilgestaan. Maar ik kan in ieder geval wel koffiezetten,' lachte Tanja geforceerd.

'Als je het koffiezetapparaat kunt vinden tenminste.' Demonstratief keek Aafke om zich heen in de rommelige keuken.

'Dit moet ik allemaal nog inruimen. Ik weet nog niet precies wat ik waar wil hebben,' verontschuldigde Tanja zich haastig.

'Voor iemand die zo hard gewerkt heeft dat ze niet eens gemerkt heeft dat haar telefoon uit stond, heb je weinig gedaan.'

Tanja verbeet een zucht en zweeg. Haar moeder maakte altijd dit soort cynische opmerkingen en daar kon ze niet tegenop. Hoewel ze zich gisteren een volwassen, zelfstandige vrouw had gevoeld, kromp ze nu weer ineen tot een onmondig kind, een effect dat Aafke altijd op haar had.

'Waar is Benjamin?' vroeg Aafke.

'Aan het werk. Hij kon maar één dag vrij krijgen vanwege de verhuizing.'

'Hij behandelt nu zijn patiënten terwijl jij hier zijn huissloofje speelt.' Aafke snoof.

'Mam, hier hebben we het al over gehad,' zei Tanja nu toch geïrriteerd. 'Als ik dat wil kan ik altijd weer fulltime aan de slag, voorlopig heb ik echter hiervoor gekozen. Van nu af aan neem ik samen met Benjamin dergelijke beslissingen. Ik ben volwassen.'

'Ik wilde je alleen maar advies geven. Op jouw leeftijd denk je de wijsheid in pacht te hebben, maar wij ouderen hebben nu eenmaal meer levenservaring.'

'Die ervaring krijg ik ook vanzelf, mits je me daar de kans voor geeft,' merkte Tanja rustig op. Ze schonk de koffie in twee bekers en liep ermee naar de huiskamer. 'Koffie,' kondigde ze overbodig aan.

'Heb je er niets bij?' vroeg Aafke.

'Nee. We hebben nog heel weinig in huis. Ik was van plan om vandaag flink in te slaan. Er komt heel wat kijken bij het opstarten van een eigen huishouding, heb ik gemerkt.'

Tot haar verbazing onthield haar moeder zich van commentaar bij deze opmerking. Tanja had minstens verwacht dat ze haar erop zou wijzen dat ze dat al gezegd had, in plaats daarvan begon haar moeder een heel verhaal af te steken over hun buren. Tanja luisterde geduldig, al interesseerde het haar niets waar die mensen heen gingen met vakantie of wat voor auto ze gekocht hadden. Al met al was het niet eens zo ongezellig, ontdekte ze. Het was wel een vreemde gewaarwording om haar moeder als visite in haar eigen huis te ontvangen, maar geen onprettige. Na een uur stond Aafke weer op.

'Jij hebt nog genoeg te doen, zie ik,' zei ze met alweer een demonstratieve blik richting de keuken. 'Dus ik ga maar weer.'

'Heb je die boeken eigenlijk nog meegenomen?' herinnerde Tanja zich.

Haar moeder schudde haar hoofd. 'Nee, die ben ik nog vergeten. Dan moet je ze maar komen halen. Morgen ben ik de hele dag thuis.'

'Dan moet ik werken.'

'Morgenavond dan. Kom vanaf je werk, dan eet je met ons mee,' stelde Aafke voor.

Tanja, gewend om op dit soort voorstellen, die altijd meer weg hadden van bevelen, automatisch instemmend te antwoorden, wilde al knikken. Ze bedacht zich net op tijd.

'We wonen net één dag samen. Benjamin zal het niet echt leuk vinden als ik er al meteen niet ben bij het avondeten,' zei ze in plaats daarvan.

Aafkes gezicht betrok. 'Wij, je ouders, komen nu natuurlijk op de tweede plaats,' zei ze bitter. 'Enfin, daar moet ik me dan maar bij neerleggen. Overigens dacht ik dat jullie jongeren elkaar vrij lieten tegenwoordig. Ik hoop toch niet dat hij je gaat verbieden om bij ons te komen.'

'Daar is absoluut geen sprake van,' verzekerde Tanja haar. 'Volgende week kom ik graag een keertje eten, maar deze week liever nog niet.'

'Ik wacht het maar af,' zei Aafke lijdzaam.

Tanja beet op haar lip. Ze voelde zich direct schuldig en het kostte haar moeite om niet alsnog toe te geven. Inwendig verhardde ze zich echter. Ze woonde nu op zichzelf, haar moeder moest dat accepteren. Ze wilde best rekening houden met het feit dat het voor Aafke moeilijk was om haar enig kind los te laten, maar er waren grenzen.

'Ik bel je wel,' zei ze daarom alleen.

Ze liep mee naar de voordeur en kuste haar moeder gedag.

'Als die jongen niet goed voor je is, kom je terug naar huis, hoor,' zei Aafke onverwachts. 'Wees nooit te trots om toe te geven dat je de verkeerde keus hebt gemaakt.'

Tanja glimlachte alweer. Hoe bazig en dominant haar moeder ook was, ze zou altijd klaarstaan voor haar kind, dat was zeker. Wat er ook gebeurde, ze zou bij haar ouders nooit tevergeefs aankloppen voor hulp. Dat was toch een prettig, veilig gevoel. Ondertussen was ze stiekem wel dolblij dat haar moeder haar bezoekje beperkt had tot slechts een uurtje. Ze had genoeg te doen, al was het dan haar vrije dag. Ze dook de keuken in en begon alle kastjes waar al iets in stond leeg te halen. Al snel werd het een enorme, onoverzichtelijke bende in de kleine keuken. Bijna wanhopig keek ze om zich heen. Het had zo simpel geleken om de keuken naar haar eigen zin in te ruimen, maar het bleek een zeer lastig karwei te zijn. Het lukte maar niet zoals zij het wilde en langzamerhand begon ze het overzicht kwijt te raken. Ze moest er ook nog rekening mee houden dat er ruimte overbleef voor de boodschappen die ze nog moest halen, bedacht ze. Op dit moment was er zowat niets in huis, ze moest toch een beginvoorraad aanleggen. Na anderhalf uur lang kastjes inruimen en weer leeghalen omdat het toch niet goed was, stond Tanja bijna op het punt om haar moeder te bellen. Aafke was praktisch en werkte altijd doelgericht. Als er iemand was die wijs kon worden uit deze puinhoop, was zij het wel. Ze zou het ook met liefde doen, wist Tanja. Het probleem was dan wel dat ze ongetwijfeld opnieuw zou vragen of zij de avond erna kwam eten en als iemand je hulp aangeboden had kon je zoiets moeilijk botweg weigeren. Zij kon dat tenminste niet, zeker niet bij haar moeder.

Net op dat moment van haar overpeinzingen ging de deurbel over. Tot Tanja's grote opluchting stond Fay voor de deur.

'Ik kom eens kijken hoe je eerste dag bevalt,' was haar begroeting. 'Ik weet dat Benjamin aan het werk is, anders had ik het niet in mijn hoofd gehaald om jullie te storen. Als ik ongelegen

kom moet je het zeggen en me gewoon wegsturen, hoor.'
'Meid, je komt als geroepen,' zei Tanja echter uit de grond van
haar hart. Ze sleurde haar vriendin zowat mee naar de keuken.
'Help me alsjeblieft. Ik kom er niet meer uit.'
Fay schoot hardop in de lach bij het zien van de bende die
Tanja had gecreëerd.
'Hoe krijg je dit in vredesnaam voor elkaar? Heb je een bom
laten ontploffen of zo?'
'Ik probeer de keuken in te ruimen,' bekende Tanja deemoedig.
'Dat is je dan niet gelukt,' grinnikte Fay. Ze stroopte letterlijk
haar mouwen op en begon de boel te sorteren. 'Eens even kijken. Waar wil je het serviesgoed, welke kastjes wil je gebruiken
voor levensmiddelen en waar wil je de elektrische apparaten
hebben?'
'Wist ik het maar. Dat zijn vragen die ik mezelf ook al had
gesteld.'
'Je huishoudelijk inzicht is geweldig,' prees Fay met een uitge-
streken gezicht. 'Ik kan wel merken dat jij enig kind bent en
thuis nooit iets hebt hoeven doen. Dit kastje is in ieder geval
bedoeld als kruidenrek.' Ze wees naar een ondiep kastje boven
de afzuigkap.
'O vandaar. Ik vond het al zo raar. Er past niet eens een pak koffie in,' zei Tanja verbaasd.
'De motor van de afzuigkap zit erachter,' legde Fay geduldig
uit. 'En die is op deze manier afgedekt, waardoor meteen ruimte is gemaakt voor potjes kruiden en zakjes saus en dergelijke.
Dat kleine spul wat je anders altijd kwijtraakt in een grote
kast.'
'Dan hebben we die tenminste snel ingeruimd, want ik heb nog
geen zoutvaatje in huis.'
'Dat schiet tenminste lekker op,' knikte Fay droog.
Onder haar leiding werden de kastjes nu snel en efficiënt ingeruimd. Er was zelfs ruimte over, ontdekte Tanja. Iets wat haar
nooit gelukt zou zijn.
'Bedankt. Zonder jou had ik dit nooit voor elkaar gekregen,' zei
ze dan ook terwijl ze iets te drinken inschonk.
'Graag gedaan. Heb je nog meer klusjes voor me? Zeg het maar

gerust, ik heb de tijd. Vandaag ben ik vrij, morgen ga ik de avonddienst in.'
'Daar heb ik in ieder geval geen last meer van, die onregelmatige diensten.'
'Dat zal je best nog eens tegenvallen,' voorspelde Fay. 'Ik vind het juist heerlijk om vrij te zijn als andere mensen werken, zoals nu. En handig, dat heb jij nu wel gemerkt.'
'Ik ga ongetwijfeld vaker gebruikmaken van jouw diensten, ja,' knikte Tanja vrolijk. 'Ik ben geen geboren huisvrouw, dat blijkt wel weer.'
'En toch heb je vrijwillig afstand gedaan van je afwisselende werkzaamheden om huisvrouw te gaan spelen?' Fay trok haar wenkbrauwen hoog op. 'Sorry hoor, maar ik begrijp dat nog steeds niet goed.'
'Dan ben je de enige niet,' zei Tanja, denkend aan haar ouders. 'Ik heb daar al heel wat kritiek op ontvangen, toch sta ik er helemaal achter. Benjamin werkt veel en op rare tijden. Als mijn wisselende diensten daar ook nog eens bij komen houden we helemaal geen tijd meer over voor elkaar.'
'Is zijn werk belangrijker dan het jouwe?' vroeg Fay met opgetrokken wenkbrauwen.
'Dat is niet met elkaar te vergelijken,' schoot Tanja meteen in de verdediging. 'Hij zit nog midden in zijn specialisatie, hij kan onmogelijk minder uren gaan draaien. Als hij straks zijn eigen praktijk heeft verandert alles weer.'
'Natuurlijk. Dan gaat hij parttime werken zodat jij je op je baan kunt storten.'
'Je hoeft niet zo sarcastisch te doen,' verweet Tanja haar. 'Wij hebben dit nu eenmaal zo geregeld omdat het ons het beste leek. Het is geen opoffering van mijn kant, als je dat soms denkt. Binnen een relatie doe je dat met liefde voor elkaar. Benjamin is me nu eenmaal meer waard dan mijn baan.'
'Als Jaime van mij zou verlangen dat ik mijn werk opgeef, kon hij mooi de boom in. Ik heb er nog veel te veel plezier in,' beweerde Fay.
'Je kunt jouw situatie niet vergelijken met de mijne. Jaime woont in Spanje, jullie contact verloopt voornamelijk via de

computer. Als jullie ooit gaan samenwonen of trouwen, zullen de opofferingen ook van jouw kant moeten komen.'

'Daar heb je gelijk in,' gaf Fay toe. 'Hij spreekt geen woord Nederlands, de kans dat hij hier een baan vindt is gering en gaat zeker niet lukken op het niveau waarop hij nu werkt. Als hotel-receptioniste met uitgebreide talenkennis kan ik in principe overal aan de slag. Enfin, zo ver is het nog lang niet.'

'Ik gun je alle geluk van de wereld, toch hoop ik dat het nog heel lang gaat duren voor het zover is, want ik zou het vreselijk vinden als je in Spanje gaat wonen,' zei Tanja hartelijk.

'Huichelaar, jij zit heel hard te hopen dat het nog eens uitgaat tussen hem en mij,' lachte Fay alweer. Ze dronk haar glas leeg en zette hem terug op de tafel. 'Heb je nog iets te doen voor me?'

'Als je wilt mag je me helpen met het opstellen van een bood-schappenlijst,' antwoordde Tanja. 'Gisteravond hebben we iets te eten besteld en benodigdheden voor ons ontbijt had ik van mijn moeder meegekregen, maar ik zal toch echt in moeten gaan slaan.'

'Oké, pak een pen en papier,' commandeerde Fay. Meteen begon ze van alles op te sommen. 'Melk, suiker, brood, beleg, zout, peper, eieren, afwasmiddel, waspoeder…'

Het werd een hele lijst, die Tanja bedenkelijk bekeek. 'Dit gaat natuurlijk nooit in mijn fietstassen passen. Ik zal een paar keer heen en weer moeten rijden.'

'Bel Judith of ze kan helpen. Zij heeft een auto,' adviseerde Fay.

'Laat ik dat maar niet doen. Na zo'n migraineaanval zal ze daar niet echt toe in staat zijn.'

'Of geen zin in hebben,' vulde Fay sceptisch aan. 'Blijf haar toch niet altijd verdedigen, Tanja. Je weet net zo goed als ik dat je niets aan Judith hebt als het op hulp aankomt. Ze is alleen maar vervuld van zichzelf.'

'Dat valt wel mee. Ze is nu eenmaal niet zo gezond en kan min-der dan wij.'

'Ze is lui en egocentrisch,' verbeterde Fay haar. Ze stond op en pakte haar tas. 'Nou, kom op. Heb je boodschappentassen?'

'Ga jij mee dan?' vroeg Tanja blij verrast.

'Natuurlijk. Alleen zullen we moeten lopen, ik heb mijn fiets niet bij me.'

Buiten stak Tanja haar arm door die van haar vriendin en gaf er een hartelijk kneepje in. Fay was geweldig, dacht ze dankbaar. De beste vriendin die iemand zich maar kon wensen. Ze stond altijd voor iedereen klaar, was praktisch, kon goed relativeren en bezat gevoel voor humor. De twee vrouwen kenden elkaar al sinds de lagere school en hun vriendschap was in de loop der jaren alleen maar hechter geworden. De band die ze met Fay had was heel anders dan met Claudine of Judith. Judith was de dochter van kennissen van Gerbrand en Aafke en Tanja was vroeger min of meer verplicht geweest om met haar te spelen. Claudine was sinds een jaar of zes haar kapster en hoewel zij en Tanja veel van elkaar verschilden was er toch een klik tussen hen geweest, waardoor ze ook afspraken in de privésfeer waren gaan maken. Maar aan Fay kon niemand tippen, nooit. Tanja vreesde dan ook voor de dag dat Fay het kille Nederland zou gaan verruilen voor een leven in Spanje, aan de zijde van haar vriend Jaime. Eigenlijk had Fay wel een beetje gelijk met haar bewering van daarnet, dat Tanja stiekem hoopte dat hun relatie op niets uit zou draaien, al zou ze dat nooit hardop zeggen. Als er iemand was die ze het gunde om gelukkig te worden was het Fay wel, maar ze zou haar vreselijk missen, dat wist ze nu al. Contact via de telefoon en de computer kon haar aanwezigheid nooit vervangen.

Met vier enorme boodschappentassen keerden ze later terug bij de flat. Fay hielp Tanja nog met het inruimen van alle levensmiddelen en gaf haar een aantal tips voor simpele, maar lekkere maaltijden voordat ze vertrok.

Benjamin zou die dag rond zeven uur thuis zijn, had hij gezegd. Het was nu kwart over zes, dus toog Tanja direct aan de slag in de keuken. Volgens de aanwijzingen van Fay kookte ze mie en bakte ze in de wok wat vlees en groente, waar ze een kant-en-klare kruidenmix aan toevoegde. Met een schaal sla erbij zette ze zo een volwaardige maaltijd op tafel. Haar eerste zelf bereide avondmaaltijd. Trots keek ze naar het resultaat. De tafel was gezellig gedekt en het eten rook heerlijk. Alleen was het wel te vroeg klaar, constateerde ze spijtig met een blik op de klok. Enfin, voor de sla maakte dat niet uit en de mie kon ze straks even opwarmen in de magnetron, dat zou aan de smaak weinig afdoen. In afwachting van Benjamin bladerde ze in een kookboek dat ze ook net had aangeschaft. Bij het zien van de kleurige foto's die de recepten vergezelden kreeg ze echt zin om uitgebreid te gaan experimenteren op dat gebied. Op huishoudelijk gebied bezat ze twee linkerhanden, maar met een beetje inspanning en goede wil zou het haar ongetwijfeld allemaal wel gaan lukken. Ze was drieëntwintig, het werd ook wel hoog tijd dat ze wat zelfstandiger werd. Thuis had ze nooit iets hoeven doen, dus ze had geen flauw benul hoe een huishouden in elkaar stak.

Benjamins gezicht lichtte blij op bij zijn binnenkomst.

'Hier heb ik de hele dag naar verlangd,' zei hij terwijl hij haar in zijn armen nam. 'Thuiskomen in je eigen huis, met een vrouw die op je wacht. En die het eten klaar heeft, natuurlijk,' voegde hij daar plagend aan toe. 'Het ruikt hier zalig.'

Hoewel de mie iets te lang gekookt had, smaakte het eten net zo goed als het eruit zag en Tanja was buitensporig trots op zichzelf. Zo was het leven goed, dacht ze tevreden bij zichzelf. Voor het eerst in haar leven voelde ze zich echt volwassen.

HOOFDSTUK 3

Tanja moest toch wel heel erg aan haar nieuwe leven wennen. Het was niet precies zoals ze zich in haar fantasieën had voorgesteld, want Benjamin was vaker van huis dan haar lief was. Zijn werk en zijn studie eisten hem volledig op, zij kwam wat dat betrof pas op de tweede plaats. Maar dat had ze van tevoren geweten en daar maakte ze geen punt van, al viel het niet altijd mee. Zijn toekomstplannen waren op dit punt van hun leven nu eenmaal het belangrijkste. Als hij er wel was, hadden ze het in ieder geval goed samen en dat maakte de vele eenzame uurtjes voor Tanja weer helemaal goed. Als hij er was, was hij er voor de volle honderd procent voor haar, al was het zeker niet zo dat ze al zijn vrije tijd knus in hun flatje doorbrachten. Integendeel zelfs. Benjamin had veel vrienden en hij hield van het uitgaansleven, dus sleepte hij Tanja regelmatig mee naar het zoveelste feestje, een leuk café of een popconcert. Met de zomer voor de deur stonden er veel openluchtfestivals op het programma en hij wilde ze het liefst allemaal zien. Tanja, die daar eigenlijk helemaal niet van hield, hield haar eigen mening voor zich en ging trouw met hem mee. Als Benjamin dat nou leuk vond, waarom zou zij hem daar dan van weerhouden. Met zijn zware werk en de lange dagen die hij maakte, verdiende hij zijn ontspanning wel. Echt amuseren deed Tanja zich niet op dergelijke festivals. Waarschijnlijk was de achterstand die ze in haar jeugd op dat gebied had opgelopen niet meer in te halen. Ze vond de muziek te hard en te wild en verbaasde zich alleen maar over de vreemdsoortige types die er rondliepen. Ze kon zich niet, zoals Benjamin, helemaal uitleven voor de diverse podia. Misschien dat hij vaker thuis zou blijven als zij hem dat vroeg, maar Tanja wilde hem voor geen prijs belemmeren in zijn bewegingen en ze bezat niet voldoende zelfvertrouwen om voor haar eigen belangen op te komen. Dus vergezelde ze hem naar alles waar hij naartoe wilde en hield ze zichzelf voor dat dit precies het leven was dat ze altijd gewenst had. Druk, gezellig, met veel sociale contacten en vol afwisseling. Geen enkel vrij weekend van Benjamin was hetzelfde, al maakte hij zijn plannen nooit lang van tevoren. Meestal kwam er iets bij hem op en dan wilde hij daar meteen heen, net als Tanja zich verheugd had op een paar uurtjes voor hen samen. Klagen of zeuren deed ze echter nooit. Een zeurende vrouw was de doodsteek voor een relatie, ze las genoeg tijdschriften om dat te weten. En Benjamin had natuurlijk gelijk als hij aanvoerde dat ze jong en gezond waren en van het leven moesten genieten. Thuis zitten konden ze in de toekomst altijd nog doen. Als ze eenmaal getrouwd waren, Benjamin zijn eigen praktijk had en er kinderen kwamen bijvoorbeeld.

Ze was blij dat ze haar fulltime baan met wisselende diensten had ingeruild voor drie vaste dagen per week werken, anders had ze het snelle tempo van Benjamin niet bij kunnen houden. 's Avonds op stap gaan, diep in de nacht thuiskomen om vervolgens om zeven uur op te moeten staan, was niet iets wat ze gewend was. Benjamin scheen daar geen enkele moeite mee te hebben, maar Tanja voelde zich na een dergelijke stapavond altijd geradbraakt. Op de dagen dat ze thuis was dook ze 's middags nog wel eens haar bed in om wat verloren uurtjes slaap in te halen. Dan kon ze er 's avonds tenminste weer tegen als Benjamin met een nieuw plan op de proppen kwam. Soms was ze zo moe dat ze stiekem blij was als hij een avonddienst moest draaien, zodat ze niet verplicht werd ergens heen te gaan. Dergelijke avonden lag ze meestal languit op de bank voor de televisie, blij met de rust in de stille flat. Andere avonden ging ze naar haar ouders of sprak ze iets af met haar vriendinnen. Claudine en Judith waren ook echte uitgaanstypes, die bovendien om de haverklap een andere vriend hadden, dus daar was het contact niet zo veelvuldig mee, maar Fay sprak ze vaak.

Haar grote hobby, de poppenhuizen, was sinds ze samenwoonde in het slop geraakt. Het enige waar ze af en toe nog mee bezig was, was de miniuitvoering van hun flat, die mee was verhuisd. Haar andere poppenhuizen bleven echter ongebruikt op de zolder van haar ouderlijk huis staan. Ondanks dat ze nog maar drie dagen per week werkte had Tanja er weinig tijd voor en de enkele keer dat ze wel naar haar ouders toog met het plan een paar uur ongestoord met haar hobby bezig te zijn, slokte haar moeder al haar aandacht op. Zo ging het ook deze avond weer. Benjamin draaide een aantal avonddiensten en na twee avonden op de bank hangen om bij te komen van een zeer vermoeiend weekend, was Tanja op de fiets gestapt en naar het huis van haar ouders gereden. In de grote schoudertas die ze bij zich had, zaten allemaal nieuwe lapjes stof, stukjes vloerbedekking en stalen behang en ze had echt zin om het grootste poppenhuis dat ze bezat grondig te renoveren. In gedachten zag ze al helemaal voor zich hoe ze het wilde hebben en haar handen jeukten om eraan te beginnen. Omdat ze, op aandringen van haar moeder, nog steeds een sleutel van haar ouderlijk huis bezat, had ze niet gebeld om te vragen of haar ouders thuis waren. Dat merkte ze vanzelf wel. Waren ze er niet, dan was dat geen probleem en als ze bijvoorbeeld visite hadden zouden ze geen last van haar ondervinden als ze op zolder bezig was. In dat geval zou ze alleen even haar hoofd om de deur van de huiskamer steken en gedag zeggen. Tanja hoopte eigenlijk dat ze niet thuis zouden zijn, want haar moeder had er een handje van om eindeloos het wel en wee van hun buren te bespreken, iets waar Tanja totaal niet in geïnteresseerd was.

Zodra ze haar sleutel in het slot van de buitendeur stak, kwam Aafke de hal echter al in lopen.

'Ik dacht al dat ik iets hoorde,' zei ze. 'Gezellig dat je er bent. Kom binnen.'

'Ik wilde eigenlijk meteen door naar boven. Ik heb veel nieuwe spulletjes waar ik mee aan de slag wil.' Tanja wees op haar zware schoudertas.

'Eén kopje koffie kan er toch wel vanaf? Ik heb net vers gezet. Alsof ik wist dat je zou komen, want je vader is er vanavond niet en dan zet ik eigenlijk nooit koffie voor mezelf.' Terwijl ze praatte was Aafke al naar de keuken gelopen, waar ze druk begon te redderen met kopjes, suiker en melk. Ondanks Tanja's protesten sneed ze ook een paar plakken cake en rangschikte die op een glazen schaaltje. Tanja zuchtte onmerkbaar. Op deze manier zat ze weer voor minstens een uur aan haar moeder vast, iets waar ze nu net helemaal geen zin in had. Botweg weigeren om een kop koffie met haar te drinken kon ze echter niet.

Ze wist al precies hoe het dan zou gaan. Aafke zou haar niet tegenhouden om naar de zolder te vertrekken, maar er wel zo verslagen bij gaan zitten dat Tanja zich op slag schuldig zou voelen en haar alsnog haar zin gaf. Zo ging het altijd.

'Gezellig,' zei Aafke nogmaals toen ze even later tegenover elkaar in de huiskamer zaten. 'Ik heb je al zo'n tijd niet gezien.'

'Drie dagen,' zei Tanja. 'Zondag zijn Benjamin en ik hier nog geweest.'

'In vogelvlucht, voordat je naar dat strandfeest ging.' Aafke kneep haar lippen misprijzend op elkaar. 'Jullie hadden amper tijd om iets te drinken.'

'We waren laat omdat Benjamin 's morgens nog moest werken en hij een spoedgeval binnen kreeg vlak voordat zijn dienst ten einde liep,' verontschuldigde Tanja zich, hoewel ze zich daar afgelopen zondag al uitgebreid voor had geëxcuseerd.

'En het is natuurlijk uitermate belangrijk dat je precies op tijd op zo'n feest arriveert,' reageerde haar moeder met een sarcastisch toontje in haar stem. 'Enfin, je bent er nu, dus ik zal niet klagen.' Ze lachte erbij alsof het een grapje betrof, maar Tanja voelde de moed al in haar schoenen zinken. Blijkbaar ging haar moeder er van uit dat ze hierheen was gekomen om haar gezelschap te houden. Ze vreesde dat ze de zolder die avond helemaal niet te zien zou krijgen.

'Waar is papa?' vroeg ze, hopend dat haar vader tijdig genoeg zou arriveren om haar te redden van een hele avond roddelpraat.

'Werken,' was het korte antwoord. 'Hij doet tegenwoordig bijna niet anders. Met al die koopavonden tegenwoordig is hij haast nooit meer thuis.'

'Maar hij hoeft toch niet iedere avond te werken?' verbaasde Tanja zich.

'In principe niet, maar ze zijn met die reorganisatie bezig, waardoor er overdag vaak vergaderingen zijn. Je vader moet dan 's avonds in de winkel zijn om de boel goed draaiende te houden. Als filiaalhouder is hij tenslotte wel verantwoordelijk voor de gang van zaken, hij kan het zich niet veroorloven om te vaak afwezig te zijn. Het is een drukke tijd voor hem. Ik hoop dat die reorganisatie snel afgerond wordt, zodat hij weer op zijn normale tijden kan werken, want ik zit nu zo vaak alleen 's avonds.' Aafke zuchtte diep. 'Gelukkig ben jij er nu,' vervolgde ze toen opgewekt. 'Nog een lekker bakkie koffie, kind?' Ze pakte de inmiddels lege kopjes en liep ermee naar de keuken voordat Tanja antwoord kon geven. Berustend zakte die wat dieper weg in de kussens van de bank. Het avondje heerlijk aanrommelen met haar poppenhuizen kon ze wel vergeten, begreep ze. Het was maar het beste om zich daarbij neer te leggen, anders zat ze zichzelf de rest van de avond op te vreten van ergernis.

Ze hield het anderhalf uur vol voor ze opstond en aankondigde dat ze er weer eens vandoor ging. Met spijt in haar hart pakte ze de schoudertas weer op. Al haar ideeën waren als sneeuw voor de zon verdwenen, ze had nu niet eens meer zin om naar boven te gaan. Door de schemerige avond fietste ze terug naar de flat. Het duurde nog wel een paar uur voordat Benjamin thuis zou komen, zag ze op haar horloge. Uren die zich leeg voor haar uitstrekten. Ze voelde zich landerig en verveeld en door de mislukte avond had ze helemaal nergens meer zin in. Fay zou haar op kunnen vrolijken, maar zij was gisteren voor een korte vakantie naar Spanje vertrokken, naar haar vriend Jaime. Minstens vier keer per jaar ging ze een week naar hem toe, nu al drie jaar lang. Op zijn beurt kwam Jaime ook regelmatig naar Nederland toe, zodat hun relatie, die destijds als een vakantieliefde begonnen was, zich steeds meer verdiepte. Eenmaal thuis belde Tanja naar Claudine. Haar vriendin nam wel op, maar klonk zo haastig dat Tanja meteen begreep dat ze haar ergens in stoorde.

'Ik heb eigenlijk geen tijd om te praten. Is er iets aan de hand?' vroeg ze gejaagd.

'Nee, ik wilde zomaar wat kletsen. Ga maar snel terug naar waar je mee bezig was. Of naar wie je mee bezig was,' plaagde Tanja.

Heel even viel er een stilte aan de andere kant van de lijn. 'Hoe weet jij dat?' vroeg Claudine toen scherp.

'Ik weet helemaal niets. Het was een wilde gok, maar blijkbaar wel een goede.' Tanja lachte. 'Ga maar naar hem terug, ik zal jullie niet langer ophouden. Binnenkort hoor ik alle details wel van je. Veel plezier.' Meteen verbrak ze de verbinding. Claudine had blijkbaar weer ergens een vriendje opgeduikeld, wat regelmatig gebeurde. Met haar bruine krullen, grote ogen en perfecte figuurtje had ze altijd hordes mannen achter zich aan, iets wat Claudine overigens absoluut niet vervelend vond. Ze leefde op de aandacht van mannen, beweerde Judith zelfs altijd enigszins jaloers. Het was niet voor het eerst dat een telefoongesprek tussen hen voortijdig werd afgekapt omdat Claudine iemand bij zich had, al verbaasde Tanja zich wel over Claudines vreemde reactie. Maar misschien was de man in kwestie dit keer iets bijzonders. Wellicht zelfs de ware. Tenslotte ging iedereen een keer voor de bijl, mijmerde Tanja terwijl ze haar telefoon weglegde. De enige die nog in aanmerking kwam voor een kletspraatje was Judith, maar daar had ze geen zin in. Judith was altijd alleen met zichzelf bezig en toonde weinig belangstelling voor het wel en wee van anderen. Wat dat betrof had ze veel van Aafke weg. Tanja had er na de avond die achter haar lag even schoon genoeg van om alleen maar te luisteren zonder dat ze zelf haar ei kwijt kon. Als zij en Judith in hun jeugd niet min of meer gedwongen waren om met elkaar te spelen, waren ze waarschijnlijk nooit vriendinnen geworden. Hoewel, de term vriendinnen was een te groot woord voor de manier waarop ze met elkaar omgingen. Het contact kwam voornamelijk van Judith af en dan eigenlijk alleen wanneer ze Tanja nodig had of om haar hart te luchten als er iets aan de hand was. Tanja voelde zich af en toe net een klaagmuur wanneer ze Judith sprak. Hun vriendschap bestond voornamelijk uit eenrichtingsverkeer, maar Tanja bezat de moed niet om de omgang te beëindigen. Ze was bang dat Judith zich dan gekwetst zou voelen, waardoor zij weer achter zou blijven met een schuldgevoel. Voor zichzelf opkomen en voor zichzelf kiezen waren zaken die Tanja nooit geleerd had, dus liet ze de bestaande situatie liever voortsudderen dan er iets van te zeggen.

Om kwart voor twaalf kwam Benjamin thuis. Tanja had wat toastjes gesmeerd en een fles wijn opengetrokken. De dag erna was ze toch vrij, dus ze hoefde niet per se op tijd naar bed.

'Hè, gezellig,' zei Benjamin vergenoegd. Hij trok haar tegen zich aan en kuste haar. 'Jij weet altijd precies wat ik nodig heb.'

'Daar ben ik toch voor ingehuurd?' lachte Tanja. Hoewel het een grapje was, klonk er toch een wrange ondertoon door in haar stem. Soms voelde ze het inderdaad zo. Ze deed alles voor Benjamin en maakte haar eigen belangen ondergeschikt aan die van hem en daar stond niet echt veel tegenover. Hij dacht er bijvoorbeeld nooit aan om haar eens een ontbijtje op bed te brengen als ze samen vrij waren, hoewel dat andersom regelmatig voorkwam. Ze zei daar echter nooit iets over, omdat ze niet zo'n zeurende, klagende vrouw wilde worden. Zoals haar moeder, voegde ze daar dan in gedachten aan toe.

'Heb je nog iets leuks gedaan vanavond?' Benjamin smeerde een toastje en stopte die in zijn geheel in zijn mond.

'Ik ben nog even bij mijn moeder geweest.' Tanja vertelde er expres niet bij dat haar eigenlijke reden om naar haar ouderlijk huis te gaan haar poppenhuizen waren geweest. 'Pa moet veel overwerken momenteel, ze was alleen thuis. Ze vroeg trouwens of we zondag komen eten.'

Benjamin trok zijn wenkbrauwen hoog op. 'Ik mag toch hopen dat je niets afgesproken hebt.'

'Waarom niet? Het zijn mijn ouders, hoor. Het zal je heus geen kwaad doen om er wat vaker heen te gaan.'

'We zijn afgelopen zondag nog geweest.'

'In vogelvlucht,' herhaalde Tanja onwillekeurig de woorden van Aafke.

'Ik heb nu eenmaal geen zin in die opgelegde, verplichte bezoekjes,' zei Benjamin kortaf. 'Dat doe ik bij mijn eigen ouders niet eens. En zeg nou eerlijk, Tan, zo gezellig is het er nooit. Je vader meent bij ieder gespreksonderwerp de wijsheid in pacht te hebben en je moeder roddelt over de hele buurt.'

'Ik vraag je ook niet of je er iedere dag heen wilt gaan, maar zo af en toe een etentje bij ze moet toch kunnen. Mijn moeder vindt het heerlijk om uitgebreid te koken, maar nu ze nog maar met zijn tweetjes thuis zijn doet ze dat haast nooit meer.'

'Dat is mijn schuld anders niet. Ik voel er niets voor om daar stijf aan tafel te zitten en net te moeten doen alsof ik het naar mijn zin heb. Je ouders mogen mij niet eens.'

'Op deze manier geef je ze ook niet de kans om van mening te veranderen. Je sterkt ze daar alleen maar in,' beweerde Tanja. Benjamin haalde zijn schouders op. 'Het kan me weinig schelen wat ze van me denken.'

'Mij wel. Ik zou heel graag zien dat mijn ouders en mijn vriend goed met elkaar overweg kunnen. Als ze je beter leren kennen, zal dat ook ongetwijfeld het geval zijn.'

'Ik begrijp hieruit dat je al toegestemd hebt in die uitnodiging.'

'Ja,' bekende ze. Ze beet op haar onderlip en vermeed het hem aan te kijken. In plaats daarvan hield ze haar ogen strak gericht op het toastje dat ze aan het smeren was.

'Zeg dat dan meteen in plaats van zo'n heel verhaal te houden.' Benjamins gezicht vertrok. 'Als ik me maar niet in een net pak hoef te hijsen.'

'Je gaat dus mee?' begreep Tanja blij.

'Alleen omdat we er nu niet meer onderuit kunnen en ik ben niet van plan om je ouders naar de mond te praten,' waarschuwde Benjamin haar. 'Voortaan wil ik ook niet meer voor een voldongen feit geplaatst worden, Tanja. Als ze je weer uitnodigt, oftewel min of meer beveelt te komen, wil ik dat je eerst met mij overlegt, want de volgende keer geef ik niet toe.'

'Oké,' beloofde ze hem. Ze zoende hem op zijn mond. 'Sorry. Je weet hoe mijn moeder dat doet, ik kan dan geen nee zeggen.'

'Je bent drieëntwintig, je hebt de leeftijd om voor je eigen mening uit te komen,' vond Benjamin het nog nodig te zeggen voordat hij haar kus vol overgave beantwoordde. Zijn hand verdween onder haar shirt en Tanja stribbelde niet tegen, hoewel ze moe was en eigenlijk wilde gaan slapen. Het feit dat Benjamin net vol bravoure had opgemerkt dat ze voor zichzelf op moest leren komen, hield echter niet automatisch in dat hij haar 'nee' makkelijk zou accepteren. O, hij zou haar niet dwingen, daar was Tanja niet bang voor, maar de goede sfeer tussen hen zou wel onmiddellijk weg zijn. Ze zag hem er overigens ook voor aan om dan alsnog te weigeren om zondag mee te gaan naar haar ouders. Benjamin kon erg kinderachtig reageren als hij zijn zin niet kreeg, dat wist ze.

In ieder geval had ze deze avond toch een kleine overwinning geboekt. Ze had verwacht dat het meer moeite zou kosten om hem over te halen voor dat bewuste etentje. Hij deed dat echt voor haar en dat stemde Tanja dankbaar. Ze wist dat hij een vreselijke hekel aan dit soort verplichtingen had. Zijn vlot gegeven toezegging haar te vergezellen bewees tenminste dat hij echt van haar hield en dat gaf haar een heerlijk gevoel. Zo heerlijk dat ze er niet aan dacht hem tegen te houden toen hij langzaam de knopen van haar shirt begon los te maken.

HOOFDSTUK 4

Omdat ze wist dat haar moeder daar prijs op stelde, trok Tanja die zondag een nette jurk aan in plaats van de vale spijkerbroek die ze die middag had gedragen tijdens een brunch met een aantal van Benjamins vrienden. Dat plan was vanochtend volkomen onverwachts bij hem opgekomen. In een mum van tijd had hij zijn vrienden gebeld en een uur later had Tanja zichzelf teruggevonden op het terras van het paviljoen in het dicht bij hun huis gelegen park. Het was een gezellige middag geweest, dat moest zij zelfs toegeven. Eigenlijk te gezellig om al zo vroeg op te moeten breken, maar ze had nu eenmaal met haar ouders afgesproken dat ze om vijf uur zouden komen. Een halfuur te laat arriveren zou de stemming niet bepaald ten goede komen. Ze borstelde haar haren tot ze glansden en deed tot slot een beetje make-up op haar gezicht. Zo kon het er wel mee door. Haar gezicht had een gezonde kleur door de middag in de zon en haar haren vielen mooi in model, wat ook wel eens anders was.

In de huiskamer vond ze Benjamin lui uitgestrekt voor de televisie, de afstandsbediening in zijn hand.

'Zou je je niet even om gaan kleden?' vroeg Tanja neutraal.

'Waarom? Dit is nog schoon.' Demonstratief keek hij naar zijn zwarte spijkerbroek en het zwart met wit gestreepte shirt dat hij droeg.

'Je weet hoe mijn moeder is, waarom pas je jezelf daar nou niet een beetje bij aan?'

'Waarom zou ik?' beantwoordde hij die opmerking met een tegenvraag. 'Lieve schat, mijn kleren zijn schoon en heel en ze zitten lekker. Ik zie er niet uit als een landloper, bovendien heeft dit shirt aardig wat gekost. Volgens mij is er niets op aan te merken.'

'Wedden van wel?' zei Tanja ironisch.

'Voor je moeder, ja. Maar ik ben wie ik ben, Tan. Als ik me in een net pak steek doe ik me voor als iemand anders.'

'Gaat het nu echt dwars tegen jouw principes in om ook eens rekening met een ander te houden?' viel Tanja onverwachts fel uit.

'Ik zie niet in wat dat met mijn kleding te maken heeft. Als ik er vuil en gehavend bij zou lopen had ik je gelijk gegeven, maar dit slaat nergens op,' zei Benjamin kortaf. 'Jij moet juist eens leren wat minder rekening met anderen te houden. Je verliest je eigen persoonlijkheid op deze manier.'

'Het zou je zwaar tegenvallen als ik dat zou doen,' spotte Tanja.

'Ik bedoel natuurlijk niet tegenover mij, alleen bij anderen.' Benjamin lachte alweer en drukte een kus op haar voorhoofd. 'Je moet alles niet zo zwaar opnemen, schat. Als je moeder mij te min vindt vanwege mijn, overigens keurige, kleding, dan is er toch geen redden meer aan. In dat geval moeten we ons er maar bij neerleggen dat ik nooit geaccepteerd zal worden.'

Dat was nu net waar ze zo bang voor was en wat ze uit alle macht probeerde te voorkomen, dacht Tanja somber. Haar ouders hadden nooit een hoge pet van Benjamin opgehad, dus hemelde ze hem juist altijd zoveel mogelijk op. Een beetje medewerking daarbij van zijn kant zou niet onprettig zijn. Tanja wist echter ook dat het tussen haar en Benjamin op ruzie uit zou draaien als ze hier nu verder op doorging, dus hield ze haar mond en hoopte ze er het beste van.

Een kwartier voor ze weg moesten weerklonk het geluid van Benjamins mobiele telefoon. Ongeïnteresseerd luisterde Tanja naar de eenlettergreperige antwoorden die hij gaf, ze schoot echter overeind toen ze hem hoorde zeggen dat hij er meteen aankwam.

'Wie was dat? Je kunt nu niet weggaan, hoor,' riep ze paniekerig.

'Het spijt me, ik moet wel. Blijkbaar is er iets fout gegaan met het eten in de kantine van het ziekenhuis. Het halve personeelsbestand is naar huis gegaan met voedselvergiftiging, dus iedereen die geen dienst heeft wordt nu opgetrommeld.' Terwijl hij sprak sprong Benjamin al overeind om zijn sleutels en zijn jas te pakken.

'Maar we hebben een afspraak! Je kunt toch zeggen dat je niet kan komen?'

'Tanja, ik ben arts. In noodgevallen ben ik altijd beschikbaar.'

'Je bent arts in opleiding. Ze kunnen toch wel iemand anders vinden?' drong Tanja aan. 'Als we al weg waren geweest en je had je mobiele telefoon niet bij je gehad, hadden ze tenslotte ook een ander moeten bellen.'

'Dat is nu eenmaal niet het geval. Zeur niet, mijn werk gaat voor familiebezoek,' zei Benjamin kort.

'Wat je overigens heel goed uitkomt,' kon ze toch niet nalaten nog op te merken.

Hij grijnsde onbeschaamd. 'Het is wel eens slechter uitgekomen, ja. Ik kan niet zeggen dat ik dit heel erg beroerd vind.'

'Bedankt.' De tranen schoten in Tanja's ogen. Ze draaide haar gezicht weg toen hij haar een kus wilde geven. Wat moest ze nu? Haar ouders afbellen zo vlak voor het geplande tijdstip was ondenkbaar, dus hees ze zich zuchtend overeind. Dan moest ze in vredesnaam maar alleen gaan en vooral niet laten merken hoe ze zich voelde. Eén verkeerde opmerking van haar kant zou ongetwijfeld weer bergen kritiek tot gevolg hebben.

'Waar is Benjamin?' was de eerste vraag van haar moeder bij Tanja's binnenkomst.

'Spoedgeval op zijn werk,' antwoordde ze zo luchtig mogelijk.

'Ach ja, dat is het lot van een arts. Lang van tevoren gemaakte afspraken kunnen zomaar in het water vallen als de plicht roept.'

'Hm.' Aafke keek alsof ze er geen woord van geloofde. Waarschijnlijk dacht ze dat Benjamin nu thuis op de bank lag en zijn werk alleen als smoes gebruikte om onder het etentje uit te komen. Met een afwijzend gezicht begon ze de schalen op tafel te zetten. De gezelligheid in haar ouderlijk huis was ver te zoeken, ontdekte Tanja tijdens het eten. Haar vader, die gewoonlijk het hoogste woord had, zat er stil en afwezig bij. Van de weeromstuit zat Aafke druk te ratelen, af en toe een tersluikse blik op Gerbrand werpend. Er leek iets te broeien tussen die twee, maar Tanja kon haar vinger er niet op leggen. Leuk was in ieder geval anders. Het eten smaakte uitstekend, jammer genoeg was dat het enige positieve aan deze avond. Ze was blij toen ze na een paar uur met goed fatsoen op kon staan om de gespannen sfeer te ontvluchten. Buiten ademde Tanja diep de frisse buitenlucht in. Hè, wat een verademing! Vergeleken bij de leuke middag die ze had gehad, was de avond een bittere teleurstelling geworden. Niet dat ze er van tevoren veel van had verwacht overigens. Eigenlijk was het nooit gezellig als haar ouders en Benjamin bij elkaar waren. Ze mochten hem nu eenmaal niet en deden niet echt hun best om die gevoelens te verbloemen. Maar ook nu hij er niet bij was geweest, was de avond niet bepaald in een ontspannen sfeer verlopen. Tanja vreesde dat haar vader gebukt ging onder de reorganisatie van de supermarktketen waar hij voor werkte. Het feit dat de winkel tegenwoordig iedere avond tot negen uur open was en hij ook regelmatig de zondagen moest werken, was al een behoorlijk zware belasting voor hem, de extra vergaderingen die hij nu vaak scheen te hebben kwamen daar nog eens bovenop. Als hij zijn baan maar niet kwijtraakte, hoopte ze. Je wist het tegenwoordig maar nooit, vastigheid had niemand meer. Gerbrand liep tegen de zestig, als hij ontslagen zou worden was het vrijwel zeker dat hij nooit meer aan de bak kon komen. Dat hij ergens over liep te piekeren was in ieder geval wel duidelijk.

De flat grijnsde Tanja leeg en donker tegemoet. Ze had geen idee tot hoe laat Benjamin moest werken, maar als de situatie inderdaad zo nijpend was als hij verteld had, was de kans groot dat hij de hele nacht in het ziekenhuis moest blijven. Tenslotte moest er altijd een arts aanwezig zijn. Ze kon maar het beste naar bed gaan, want de dag erna was het voor haar ook een gewone werkdag. Dankzij de middag in de buitenlucht viel ze sneller in slaap dan ze zelf verwacht had. Midden in de nacht werd ze wakker van een gerucht aan de deur. Met wild bonkend hart schoot ze recht overeind in bed. De plek naast haar was nog onbeslapen, zag ze.

Ze luisterde scherp en weer hoorde ze dat vreemde geluid, alsof er aan de buitendeur werd gerommeld. Er weerklonken nu ook stemmen, wat haar enigszins geruststelde. Eventuele inbrekers zouden geen luidruchtige conversatie op de stoep houden. Ze glipte haar bed uit en sloop naar de gang. Achter het raampje in de buitendeur zag ze iets bewegen, tegelijkertijd werd er aan de deur gerammeld.

'Geef mij die sleutel nou,' hoorde ze toen iemand hard zeggen.

'Jij bent niet eens meer in staat het sleutelgat te vinden. Hé, blijf staan!'

Tanja herkende de stem van Menno, een van Benjamins beste vrienden en tevens een studiegenoot van hem die zijn opleiding voltooide in hetzelfde ziekenhuis als waar Benjamin werkzaam was. Snel liep ze nu door de gang naar de buitendeur van hun flat. Blijkbaar was er iets aan de hand met Benjamin, dat begreep ze tenminste uit de eenzijdige conversatie. Misschien was er geen sprake van voedselvergiftiging, maar van een virus en was Benjamin daar nu ook door getroffen. Ongerust vanwege deze gedachte rukte ze de deur open. Het waren inderdaad Benjamin en Menno die op de galerij stonden. Menno stond dwaas met de sleutel in zijn hand, klaar om die in het slot te steken. Benjamin leunde tegen de muur.

'Hé Tanja. Hebben we je wakker gemaakt?' vroeg Menno overbodig. 'Sorry hoor, maar Benjamin was niet meer in staat om zelfstandig naar huis te gaan. Hij kreeg de deur niet eens open.'

'Is hij erg ziek?' vroeg Tanja bezorgd.

Menno keek haar verbaasd aan, daarna barstte hij in lachen uit. 'Nu nog niet, maar morgenochtend waarschijnlijk wel. Als de kater zijn kop opsteekt,' verduidelijkte hij bij het zien van Tanja's niet-begrijpende gezicht.

'Kater?' Het drong nog steeds niet tot haar door.

'Hij is stomdronken,' legde Menno kort en bondig uit. 'Hier, moet je hem zien wankelen.'

Hij gaf Benjamin speels een duw, waarna die bijna omviel. Menno pakte hem net op tijd vast. 'Zie je wel?' grijnsde hij.

'Maar… Maar dit kan toch niet? Hij moest werken.' Tanja staarde met grote ogen naar Benjamin, die in zichzelf stond te mompelen. 'Er was een voedselvergiftiging, iedereen die geen dienst had werd opgeroepen.'

De lach verdween van Menno's gezicht en maakte plaats voor een medelijdende blik.

'Ik weet niet wat hij je allemaal wijs heeft gemaakt, maar wij hebben de hele avond in de kroeg gezeten, met nog een heel stel die er vanmiddag ook bij waren. Jij had geen zin meer, zei hij. Enfin, dat zijn mijn zaken verder niet. Ik heb hem veilig

thuis afgeleverd, met de rest bemoei ik me niet.'
'Bedankt,' zei Tanja dof. Ze sleurde Benjamin zowat naar binnen. Hij had amper in de gaten waar hij zich bevond, aan de verbaasde uitdrukking op zijn gezicht te zien. Tanja begreep dat het geen enkel nut had om hem nu op zijn gedrag aan te spreken, maar inwendig ontplofte ze haast van woede. Ze hielp hem met het uittrekken van zijn schoenen en duwde hem toen in de richting van de bank. Daar sliep hij zijn roes maar uit, zij had geen zin om de rest van de nacht naast een ronkende, stinkende, dronken vent te liggen. Plichtmatig legde ze nog een plaid over hem heen, hoewel het zijn verdiende loon zou zijn als hij stijf van de kou wakker zou worden, dacht ze wraakzuchtig bij zichzelf. Benjamin merkte er niets meer van. Zodra zijn hoofd de leuning van de bank raakte, viel hij in een diepe slaap. Voor Tanja lag dat anders. Ze was zo kwaad dat het uren duurde voor ze de slaap opnieuw kon vatten en de volgende ochtend stond ze dan ook geradbraakt op. Ze herinnerde zich meteen weer wat er gebeurd was. Niet van plan om hem te ontzien, maakte ze extra veel herrie bij het klaarmaken van het ontbijt en tijdens het douchen. Met het gewenste effect, want toen ze later de huiskamer binnen liep zat Benjamin overeind op de bank, met zijn hoofd in zijn handen geleund.
'Kon dat niet wat zachter?' kreunde hij met een pijnlijk gezicht. 'Ik heb hoofdpijn.'
'Goed zo,' reageerde Tanja vinnig. 'Ik hoop dat je daar lang last van blijft houden, dat is je verdiende loon.'
'Oei.' Hij kromp ineen bij haar harde stem. 'Je bent kwaad.'
'Terecht, lijkt mij,' zei ze koeltjes. 'Dat was een rotstreek van je, Benjamin.'
'Ik had helemaal geen zin in dat etentje,' begon hij zichzelf te verdedigen. 'Jij had me er min of meer toe gedwongen door die uitnodiging aan te nemen zonder met mij te overleggen. Ik laat me niet graag in een hoek drukken, dat weet je.'
'Dus los je het op deze manier op. Zeer volwassen, moet ik zeggen. Ik heb je aan alle kanten verdedigd gisteravond terwijl jij je klem stond te zuipen. Hopelijk ben je trots op jezelf.'
Hij trok met zijn schouders, wat een nieuwe pijnscheut in zijn

hoofd tot gevolg had. Tanja zag dat met genoegen aan.

'Mag ik een aspirientje?' vroeg hij.

'Die hebben we niet meer,' antwoordde ze, hoewel er een vol doosje in het medicijnkastje lag. Die zou ze straks in haar tas stoppen als ze de deur uitging, nam ze zich grimmig voor. Zonder hem nog een blik waardig te keuren begon ze zich klaar te maken om naar haar werk te gaan.

'Doe nou niet zo afstandelijk,' klaagde Benjamin. 'Het spijt me, oké?'

'Dat maakt het niet goed,' zei Tanja strak. 'Dit was een hele minne streek van je, dat kun je niet goedpraten. Ik ben echt woest op je.'

Hij trok een berouwvol gezicht. 'Ik zal het goedmaken,' beloofde hij. 'Vanavond kook ik.'

'Ik eet niet thuis,' zei Tanja meteen. Ze had geen plannen voor die avond, maar ze was zeker niet van plan om het Benjamin makkelijk te maken.

'Waar ga je heen dan?'

'Dat gaat je niets aan. Tenslotte vertel jij mij ook niet alles, dat is wel weer gebleken. Ik zie wel wanneer ik thuiskom, wacht maar niet op me.'

Zonder afscheidsgroet liep ze de deur uit, nog steeds helemaal opgefokt van kwaadheid. Het ergste vond ze nog wel dat ze helemaal geen vat op Benjamin kreeg. Hij bood zijn verontschuldigingen aan en verwachtte dat het daarmee over was, maar zo werkte het niet. Dit keer niet tenminste. Ze begreep heus wel dat hij niet zat te springen om een avond naar haar ouders te gaan, maar de manier waarop hij haar voorgelogen had sloeg alles. Nog nooit eerder was ze zo kwaad op hem geweest als nu het geval was en ze was dan ook absoluut niet van plan om die avond naar huis toe te gaan. Hopelijk nam hij dat dreigement niet serieus en kookte hij inderdaad een uitgebreide maaltijd in de verwachting dat ze gewoon thuis zou komen. Dat zou hem leren, dacht Tanja grimmig bij zichzelf.

In de loop van de middag belde ze naar Fay, die diezelfde ochtend uit Spanje terug was gekomen.

40

'Ik ben vanavond thuis, ja,' antwoordde ze op Tanja's vraag.
'Kom je hierheen? Gezellig.'
'Ik eet ook bij jou,' nodigde Tanja zichzelf uit. 'Dan kom ik
direct vanuit mijn werk.'
'Dan maak ik iets lekkers klaar,' beloofde Fay. 'Het komt goed
uit dat je komt, want ik heb veel te vertellen.'
'Ik ook,' zei Tanja, gedachtig de ruzie met Benjamin. Bij Fay
kon ze dat soort verhalen gewoon kwijt zonder dat ze overstelpt werd met kritiek of goedbedoelde raadgevingen waar ze
niets aan had. Claudine zou op dit verhaal waarschijnlijk
meteen roepen dat ze Benjamin moest lozen, Judith zou amper
luisteren om vervolgens op de proppen te komen met iets wat
ze zelf had meegemaakt en haar ouders zouden haar wijzen op
het feit dat nu wel bewezen was dat hij inderdaad niet goed
genoeg voor haar was. Bij Fay was dat anders. Fay zou luisteren en daarna zouden ze er samen grapjes over maken, net zo
lang tot ze zich wat minder beroerd voelde en er heel anders
tegenaan keek. Tanja verheugde zich dan ook oprecht op een
avondje ongestoord kletsen met haar vriendin. Als ze met Fay
praatte, leek alles altijd minder erg. Ze relativeerde zowel kleine als grote problemen steevast met gevoel voor humor, iets
wat Tanja meestal niet lukte als ze in haar eentje was.
'Kom binnen. Ik heb een fantastische macaronischotel gemaakt, al zeg ik het zelf,' was Fay's enthousiaste begroeting een
paar uur later. Ze zag er stralend uit, met glanzende ogen en een
door de zon gebruind gezicht.
'Die vakantie heeft je goed gedaan,' merkte Tanja enigszins
jaloers op. Vergeleken bij haar vriendin leek zij wel een kleur-
loos aftreksel.
'Niet alleen de vakantie,' zei Fay geheimzinnig. 'Er is veel meer
aan de hand.'
'Vertellen,' eiste Tanja. Ze schoof aan de keukentafel, schepte
haar bord vol met macaroni en keek Fay verwachtingsvol aan.
'Ik vertrek volgende maand naar Spanje. Voorgoed,' flapte Fay er
direct uit. Ze kon dit heerlijke nieuws niet langer voor zich houden. 'Jaime en ik gaan samenwonen en volgend jaar zelfs trouwen. Hij heeft me officieel ten huwelijk gevraagd.' Haar ogen

schitterden en er lag een gelukzalige glimlach om haar lippen.

Tanja's mond zakte open van verbazing. Natuurlijk, ze had dit aan zien komen, toch kwam dit nieuws als een mokerslag bij haar aan. Haar lepel, gevuld met macaroni, bleef halverwege haar mond dwaas in de lucht hangen.

'Je maakt een grapje,' bracht ze hoopvol uit.

Fay schudde haar hoofd, zodat haar blonde krullen vrolijk meedeinden. 'Absoluut niet. Wat vind je ervan?'

Het begon tot Tanja door te dringen dat haar reactie niet al te hartelijk was. Ondanks de felle, pijnlijke steek in haar hart dwong ze zichzelf dan ook om op te staan en haar vriendin te omhelzen.

'Gefeliciteerd,' probeerde ze zo hartelijk mogelijk te zeggen. 'Wat een fantastisch nieuws. Hoe komt dat zo ineens?'

'Eigenlijk gebeurde het volkomen onverwachts. We hadden een strandwandeling gemaakt en plotseling vroeg Jaime me of ik met hem wilde trouwen,' vertelde Fay, nog steeds helemaal vol van deze plotselinge wending van haar leven. 'Natuurlijk heb ik ja gezegd.'

'Uiteraard,' knikte Tanja. 'En volgende maand al, zei je?'

Fay knikte geestdriftig. Haar nog bijna volle bord schoof ze opzij, ze was veel te opgewonden om te eten. 'Met de vakantiedagen eraf die ik nog heb staan, moet ik nog drie weken werken. Daarna is het een kwestie van koffers pakken en wegwezen. Zoveel spullen hoef ik niet mee te nemen, Jaime heeft een compleet ingericht huis. O Tan, ik ben zo gelukkig!'

'Dat straalt dan ook van je af. Goh, je overvalt me hier wel mee, moet ik zeggen. Dit had ik voorlopig nog niet verwacht.'

'Ik ook niet.' Fay grijnsde breed. 'Maar op het moment dat Jaime het me vroeg, was het volkomen logisch. Na drie jaar een relatie op afstand zijn we er ook wel aan toe. Alle puzzelstukjes vielen ineens op hun plek.'

'Je hebt geen twijfels?'

'Absoluut niet. Dit voelt zo goed. Trouwens, wat heb ik te verliezen,' zei Fay onbekommerd. 'Mocht het onverhoopt niet goed gaan, dan ben ik zo weer terug. Werk en woonruimte vind ik altijd wel weer.'

'Je laat wel je familie en vrienden achter,' zei Tanja voorzichtig. 'Zo ver is Spanje niet, met het vliegtuig ben je er in een paar uur. En via de computer kan ik met iedereen in contact blijven. Door middel van de webcam kunnen we elkaar zelfs zien als we praten.' Fay zag geen enkel bezwaar, ondanks de toch wel ingrijpende verandering waar ze nu voor stond. Tanja zag dat enigszins jaloers aan. Kon zij ook maar zo ongeneerd genieten van het leven, zonder de duizend en één bezwaren die ze altijd aanvoerde als er iets onverwachts op haar pad kwam. Fay zag nooit ergens problemen, alleen maar uitdagingen. Tanja wist zeker dat ze zich in een mum van tijd helemaal thuis zou voelen in Spanje. Jammer genoeg, zei een klein stemmetje in haar hoofd dat ze probeerde te negeren. Ze zou Fay vreselijk missen, dat wist ze nu al. Telefoontjes, brieven en chatsessies op de computer konden nooit haar aanwezigheid vervangen.

'Je komt vaak naar me toe, hoor,' bedong Fay later, toen Tanja aanstalten maakte om weg te gaan. 'En ik verwacht jullie sowieso op de bruiloft.'

'Natuurlijk, zo'n gratis vakantieadres is nooit weg,' lachte Tanja geforceerd. Ze zoende haar vriendin op beide wangen. 'Als ik je moet helpen met inpakken en sorteren geef je maar een gil.'

'Jij had ook nieuws te vertellen,' herinnerde Fay zich opeens. 'We hebben de hele avond alleen maar over mij gepraat. Wat wou je zeggen?'

'Niets belangrijks,' wuifde Tanja dat weg. Ze kon Fay nu onmogelijk opzadelen met haar problemen, niet nu ze zo gelukkig was. Ondanks haar eigen pijn vanwege het naderende afscheid gunde ze haar alle geluk van de wereld. Hoewel ze zichzelf dat krampachtig voor bleef houden op weg naar haar eigen huis, kon ze toch niet verhinderen dat de tranen over haar wangen stroomden.

In de flat was alles al donker, zag ze. Benjamin sliep al of hij was weggegaan. Ze vermoedde het laatste, het was niets voor hem om al om elf uur in bed te liggen. Het nachtslot op de deur bevestigde die vermoedens. Trillend van ellende ging ze op de bank zitten. Ze voelde zich eenzamer dan ooit.

HOOFDSTUK 5

Hoewel het haar moeite kostte, lukte het Tanja om op Schiphol haar tranen in bedwang te houden bij het afscheid van Fay. De vertrekhal was gevuld met mensen die haar uit kwamen zwaaien en Tanja voelde zich behoorlijk nietig tussen al die vrolijke, kletsende en lachende mensen. Ze vroeg zich serieus af of zij de enige was die hier moeite mee had. Het leek niemand hier te deren dat Fay honderden kilometers ver weg ging wonen.

'Je komt snel naar me toe, hè?' bedong Fay toen ze elkaar voor de laatste keer omhelsden. 'En we bellen, schrijven en mailen, denk erom. Ook al ben ik dan niet meer in je buurt, ik wil nog wel alles van je weten.'

'Ja mam,' grapte Tanja geforceerd. 'Heel veel geluk, lieverd. Maak er wat moois van met Jaime samen. En leer hem Nederlands, zodat hij hier een baan kan vinden,' voegde ze daar aan toe.

'Reken daar maar niet op,' grijnsde Fay. 'Weet je hoeveel verschil er zit in zonuren tussen Nederland en Spanje? Nee hoor, ik ben niet van plan om terug te komen. Alleen verwacht ik wel regelmatig een pakketje met drop, rookworst en stroopwafels.'

'Komt voor elkaar,' beloofde Tanja.

Met een verkrampt gezicht zwaaide ze Fay na tot die, eenmaal voorbij de douane, uit het zicht was verdwenen. De lach leek wel om haar mond gebeiteld te zitten, totdat ze zich niet meer groot hoefde te houden en ze haar tranen de vrije loop liet. Hierin was ze toch niet alleen, ontdekte ze om zich heen kijkend. Meerdere mensen die daarnet nog hadden staan lachen, pinkten nu een traantje weg en van een uitgelaten stemming was geen sprake meer. Stil ging de groep uit elkaar, ieder zijn eigen kant op.

'Kom, we gaan naar huis,' zei Benjamin. Hij was vanochtend vrij en had tot Tanja's grote verrassing aangeboden mee te gaan naar Schiphol, zodat ze niet in haar eentje terug hoefde te gaan. Zoveel fijngevoeligheid en inlevingsvermogen was ze eigenlijk niet van hem gewend. Hij sloeg zijn arm om haar schouders heen en leidde haar naar het treinstation op de luchthaven. Dankbaar leunde Tanja tegen hem aan. Ze voelde zich helemaal leeg nu het afscheid achter de rug was. Ze miste Fay nu al. Zij was de aangewezen persoon om nu te bellen en haar gevoelens mee te bespreken, wrang genoeg. Voor de rest was er niemand met wie ze zo close was. Natuurlijk was Benjamin er, maar dat was toch iets anders dan een vriendin. Hij was overigens niet meer teruggekomen op hun ruzie na het mislukte etentje met haar ouders en had door enkele subtiele opmerkingen duidelijk gemaakt dat hij dit ook niet van haar verwachtte. Het was gebeurd, hij had zijn verontschuldigingen aangeboden en wat hem betrof was de kous daarmee af. Tanja was zo aangeslagen door Fay's onverwachte mededeling dat zij er ook niets meer over had gezegd. Het leek niet belangrijk meer vergeleken bij haar vertrek. Ze hadden een week later alsnog samen bij Tanja's ouders gegeten en ze beschouwde dat als een goedmaker van zijn kant, waarmee de ruzie automatisch ten einde was. Om halfdrie vertrok Benjamin naar het ziekenhuis voor zijn avonddienst. Tanja liep met haar ziel onder de arm door de flat. Alles was schoon en keurig opgeruimd, dus er was niets te doen voor haar. Eten was er genoeg in huis, de televisie bood niets wat haar interesseerde en zin om te lezen had ze niet. Ze kon haar aandacht er nu toch niet bij houden.

Wat ze nu het liefst wilde doen was aan haar poppenhuizen werken, maar de wetenschap dat haar moeder waarschijnlijk thuis zou zijn hield haar tegen. Van Aafke kreeg ze toch de kans niet om zich terug te trekken op de zolder. In het gunstigste geval liep ze mee naar boven om daar vanuit een stoel haar ellenlange verhalen te spuien, maar op die manier was de lol er voor Tanja al af. Het was juist zo heerlijk om zich helemaal te verdiepen in haar hobby, zonder afgeleid te worden door andere zaken. Als ze dat tegen Aafke zou zeggen, zou die echter diep beledigd zijn, wat ze dan vervolgens uitte door zich terug te trekken en zich wekenlang uiterst koel te gedragen. Dat klonk als de ideale oplossing, maar Tanja kon daar heel slecht tegen. De keren dat dit voorgevallen was, had ze zich, gedreven door schuldgevoel, in allerlei bochten gewrongen om haar moeder weer gunstig te stemmen. Die uitwerking had ze nu eenmaal op haar. Al van kleins af aan had Tanja geleerd dat ze zich het beste naar haar moeder kon schikken, anders daalde de stemming in huis tot ver onder het vriespunt. Aafke werd dan niet boos, maar trok zich terug in haar ivoren toren, zei alleen het hoogstnoodzakelijke en speelde met een lijdzaam gezicht het slachtoffer. Nu Tanja eenmaal volwassen was, kon ze dat patroon niet zonder meer verbreken. Ze probeerde het wel, maar wist nog steeds niet hoe ze het beste op die buien van haar moeder kon reageren. Het zonder meer naast zich neerleggen en gewoon haar eigen gang gaan, kon ze niet, dus vermeed ze situaties die tot dergelijk gedrag leidden zoveel mogelijk.

Uit pure verveling belde ze Claudine, die echter niet opnam. Voor de zoveelste keer de laatste weken klonk de tekst van haar voicemail in Tanja's oor. Die nieuwe vriend van haar moest wel heel bijzonder zijn, want ze had Claudine nog maar amper gesproken sinds die man in haar leven was verschenen. Twee keer maar en beide gesprekken had Claudine snel afgekapt terwijl ze normaal gesproken juist altijd uitgebreid verslag deed van haar veroveringen. Tanja vond het fijn voor haar vriendin dat ze blijkbaar iemand had gevonden om haar leven mee te delen, maar de timing was voor haar wel heel erg beroerd nu Fay was vertrokken. Allebei haar vriendinnen werden op dit moment zo in beslag genomen door hun eigen leven dat zij even niet in beeld was. Logisch, maar niet prettig.

Judith nam wel op, ze luisterde echter amper naar Tanja's verhaal over het vertrek van Fay.

'Fijn voor haar. Lekker voor jou trouwens, een adres in Spanje waar je gratis kunt logeren,' was het enige wat ze erover zei. 'Trouwens, herinner jij je Casper nog?' ratelde ze meteen verder. 'Hij woonde vroeger bij ons om de hoek, die jongen met dat peenhaar en die grote, vooruitstekende tanden. Nou, die is behoorlijk goed opgedroogd, kan ik je vertellen. Ik kwam hem gisteren tegen op een feestje en herkende hem niet eens. Hij mij gelukkig wel, we hebben een hele leuke avond gehad samen.'

Tanja luisterde stil naar Judiths verslag over wat ze allemaal met die bewuste Casper had gedaan. Ze hoefde geen vragen te stellen om het gesprek op gang te houden, want Judith kletste oeverloos door. Moeiteloos schakelde ze over van Casper als gespreksonderwerp naar de nieuwe vriend van haar zus, die volgens haar niets voorstelde, en vervolgens klaagde ze over de drukte op haar werk.

'Maar ik moet ophangen,' zei ze toen. 'Jurgen komt me zo halen, we gaan naar een toneelstuk waar zijn nicht in meespeelt.'

'Jurgen? Ik dacht dat je nu iets met Casper had,' merkte Tanja op. Judiths heldere lach klonk hard op. 'Ach schat, wat ben je toch een begijntje. Ik hoef alle mannen toch niet te vermijden vanwege één? Nou, ik ga. Doei.'

Met een onbevredigend gevoel legde Tanja haar telefoon neer. Zoals gewoonlijk had ze zelf weer amper de kans gekregen om iets te vertellen. Judith walste altijd dwars over haar heen met verhalen over haar eigen leven. Niet voor het eerst vroeg Tanja zich af waarom ze deze vriendschap eigenlijk aanhield. Diep in haar hart wist ze het antwoord echter al. Ze durfde er simpelweg niets van te zeggen, bang dat Judith in dat geval boos of gekwetst zou zijn. Wat dat betrof had ze vroeger thuis een goede leerschool gehad in het mensen naar de zin maken. Soms had ze een hekel aan zichzelf omdat ze zo over zich heen liet lopen. Haar eigen belangen kwamen altijd ergens achteraan, na die van anderen. Dat was nooit echt een probleem geweest voor haar, tegenwoordig kreeg ze daar echter steeds meer moeite mee. Vaker en vaker voelde ze zich in een hoek gedrukt, als iets onbelangrijks waar je geen rekening mee hoefde te houden. Onbewust wakkerde Benjamin dat nog verder aan, omdat hij meestal zijn eigen weg ging en hij degene was die bepaalde wat ze gingen doen. Tanja wist dat zij zelf moest veranderen om iets aan deze situatie te doen. Zij moest meer voor zichzelf opkomen en haar grenzen stellen. Maar hoe? In theorie klonk het allemaal zo makkelijk, in de praktijk lag het echter niet zo simpel. Het woordje 'nee' kwam maar heel moeilijk over haar lippen en ze liet zich snel ondersneeuwen door dominantere types. Door iedereen dus eigenlijk, bespotte ze zichzelf. Ze was gewoon zwak. Misschien was het wel beter om dat gewoon te accepteren en alles te laten zoals het was. In ieder geval was dat makkelijker.

'Pak een tas in, we gaan het weekend weg.' Met die mededeling kwam Benjamin thuis. Tanja keek hem aan alsof hij niet goed wijs was. Het was vrijdagmiddag, ze kwam net uit haar werk en had onderweg de nodige boodschappen gehaald, die ze nu aan het opruimen was. Dwaas bleef ze met een pak melk in haar handen staan. Benjamin pakte het pak uit haar handen en zette het op het aanrecht. 'Hoor je me niet? Je moet opschieten, want we worden over een uur gehaald door Menno, Lisa, Jaap en Daphne.'

'Heb je gedronken?' informeerde Tanja cynisch.

'Nee schat, ik voel me prima. En straks voel ik me waarschijnlijk nog veel beter, als we in ons hotelletje aan zee zitten.' Hij pakte haar vast en draaide haar rond. 'Hoor je nu eigenlijk wel wat ik zeg? We gaan lekker een weekendje uitwaaien met zijn zessen.'

'Zomaar ineens? Dat kan toch helemaal niet?'

'Noem eens één reden waarom niet.'

Tanja keek om zich heen in de rommelige keuken. Dit overviel haar enorm. Zij had altijd wat meer moeite om zich aan te passen aan onverwachte gebeurtenissen en impulsieve acties waren niets voor haar. Vakanties moesten lang van tevoren besproken worden en avondjes weg het liefst een week eerder gepland. Bij Benjamin was ze daarvoor aan het verkeerde adres. Hij plande nooit iets en deed wat er in hem opkwam wanneer hij daar zin in had. Buiten zijn werk en zijn studie om, die hij heel serieus nam en waar hij keihard voor werkte, was hij een echte levensgenieter. Aan onverwachte stapavondjes begon Tanja inmiddels redelijk te wennen, dit was echter van een heel andere orde.

'Ik moet de keuken schoonmaken,' was het eerste wat in haar opkwam.

Benjamin lachte luid. 'Ja, dat is heel erg belangrijk. Nou, weet je wat? Dan blijf jij thuis om de keuken te soppen en ga ik zonder jou.'

'Leuk.' Tanja snoof. 'Even serieus nu, is dit echt waar?'
'Natuurlijk. We hadden het er vanmiddag in de pauze over dat het leuk zou zijn om eens een paar dagen met zijn allen weg te gaan en toevallig zijn we dit weekend allemaal vrij, vandaar. Menno heeft meteen een paar telefoontjes gepleegd en een hotel geboekt.'
'Ik heb morgen een afspraak bij de kapper.'
'Die bellen we wel af. Ga nu inpakken, straks staan ze voor de deur. We gaan met dat busje van Jaap, dat is ruim zat.' Benjamin duwde Tanja zowat de keuken uit. 'Gooi voor mij maar wat kleding en een zwembroek in mijn tas, dan ruim ik de boodschappen wel verder op.'
Verdwaasd liep Tanja naar de slaapkamer. Ze pakte hun grote weekendtas uit de schuifkast, zette hem op bed en bleef er even naar staren, alsof ze niet goed wist wat ze met dit ding moest doen. Een weekend weg. Twee dagen, drie nachten. Wat moest ze dan allemaal meenemen? Haar hoofd was even helemaal leeg. Ze wist dat Benjamin impulsief was, maar dit had ze nog nooit meegemaakt. Vroeger zeker niet. Haar ouders waren behoudende mensen, die leefden volgens een vast patroon. Iedere dag verliep hetzelfde en voor iets onverwachts was geen ruimte. Vooral haar moeder kon daar niet tegen. Tanja herinnerde zich ineens haarscherp de keer dat haar vader thuis was gekomen met kaartjes voor een toneelstuk, voor diezelfde avond. Zijn collega, van wie die kaartjes waren, was ziek geworden en had ze aan Gerbrand gegeven, maar Aafke weigerde beslist om mee te gaan. Haar hele planning voor die avond moest omgegooid worden en dat wilde ze niet. Het was uitgelopen op een felle ruzie, een van de weinige ruzies die Tanja zich kon herinneren. Haar ouders maakten nooit ruzie, daar waren ze veel te beschaafd voor.
'Hoe ver ben je? Nou, dat schiet niet erg op,' constateerde Benjamin nadat hij de slaapkamer binnen was gekomen. 'Wil je eigenlijk wel mee?'
'Je overvalt me,' bekende Tanja. 'Ik zit hier nog een beetje aan het idee te wennen. Hoe kom je daar nou zo ineens bij?'
'Lieve schat, we leven vandaag en niemand weet wat er morgen

staat te gebeuren, dus vooruitplannen heeft helemaal geen zin. Ik zie in het ziekenhuis genoeg mensen die al hun plannen uitstellen en vervolgens te horen krijgen dat ze niet lang meer te leven hebben. Dat zal mij niet overkomen. Trouwens...' Hij nam haar gezicht tussen zijn handen en keek haar ernstig aan. 'Een uitstapje zal je goed doen. Het zijn emotioneel zware weken voor je geweest met het naderende vertrek van Fay.' Ontroerd moest Tanja even iets wegslikken. Wat lief van hem! Benjamin was nog steeds in staat haar te verrassen. Soms leek het wel of ze hem onverschillig liet en trok hij zich niets van haar aan, het volgende moment kon hij ineens heel lief en zorgzaam uit de hoek komen.

'Maar als je geen zin hebt om weg te gaan moet je dat natuurlijk gewoon zeggen,' voegde hij aan zijn woorden toe.

Tanja zag de teleurgestelde blik in zijn ogen en gedachtig die ene ruzie tussen haar ouders schudde ze haar hoofd. Voor geen prijs wilde ze zo worden als haar moeder, zo stijf en behoudend, zonder enig plezier in haar leven. 'Ik ga graag mee,' verzekerde ze hem. 'De omschakeling duurt bij mij gewoon iets langer dan bij jou. Het lijkt me heel erg leuk.'

Snel begon ze nu de tas vol te stoppen met ondergoed, nachtgoed en kleding. Ze kreeg inderdaad echt zin in dit komende weekend, ontdekte ze. Nu de eerste verbazing gezakt was en ze er wat langer over na had gedacht, ging ze het eigenlijk steeds leuker vinden. In een mum van tijd had ze alles ingepakt wat ze nodig hadden voor een paar dagen aan zee. En alles wat ze vergeten was konden ze daar wel kopen, dacht ze ongekend zorgeloos. Nu ze eenmaal aan het idee gewend was, was ze vast van plan om van dit uitstapje te genieten.

Het duurde nog een kwartier voor ze opgehaald zouden worden en Tanja overwoog of ze haar ouders moest bellen om door te geven dat ze dit weekend niet thuis was. Na de uitvinding van de mobiele telefoon was het niet meer nodig om een adres en telefoonnummer van de vakantiebestemming achter te laten, dus besloot ze niet te bellen. Ze zou ze achteraf wel vertellen dat ze weg waren geweest. Net op het moment dat ze dat besluit nam, een tamelijk rebels besluit voor haar doen, ging haar mobiel over. Op het display zag Tanja dat het haar moeder was en inwendig zuchtte ze. Of ze nu wilde of niet, ze kon blijkbaar niet aan haar ouders ontsnappen.

'Niet opnemen,' adviseerde Benjamin. Dat zei hij wel vaker als het nummer van haar ouderlijk huis op het scherm verscheen, maar Tanja kon dat nog steeds niet.

'Ik moest ze toch al laten weten waar we dit weekend zijn,' zei ze snel terwijl ze opnam. 'Hoi mam, met mij.' Er weerklonk een geluid in haar oor dat ze niet goed thuis kon brengen. Tanja fronste haar wenkbrauwen. 'Hallo. Mam, ben je daar?' Ze keek naar Benjamin, die lui op de bank hing. 'Het lijkt wel of ze huilt,' fluisterde ze geschrokken met haar hand over het microfoontje heen.

Benjamin staarde onverstoorbaar terug. 'Je moeder? Onmogelijk, die is van gewapend beton gemaakt, daar zit geen traan in,' zei hij onverschillig.

Tanja hoorde het nu echter duidelijk. Haar moeder huilde zo hevig dat ze bijna geen woord kon uitbrengen.

'Mam, wat is er aan de hand? Is er iets met papa?' riep Tanja paniekerig.

'Hij is weg,' klonk het nu gesmoord aan de andere kant.

'Wat? Hoe bedoel je? Mam, zeg iets!'

'Hij is weg. Hij heeft een andere vrouw en heeft zijn spullen gepakt om bij haar in te trekken. O Tanja, wat moet ik nu doen?'

'Ik kom naar je toe,' zei Tanja kort en bondig. Ze drukte haar telefoon uit en pakte haastig haar handtas. 'Ik moet naar mijn moeder toe,' legde ze gejaagd uit.

'Ho even.' Benjamin pakte haar bij haar schouders. 'Je kunt niet weggaan, we hebben een afspraak. Ze kunnen ieder moment hier zijn. Je moeder kan wel een paar dagen wachten. Ze heeft je voortdurend nodig, je moet eens afleren om steeds naar haar toe te draven als ze je roept.'

'Dit ligt anders. Mijn vader is ervandoor met een andere vrouw.'

'Werkelijk?' Hij begon te grinniken. 'Zoveel ondernemingszin had ik niet verwacht van die stijve pa van jou. Wat een moed.'

Met een ruk bevrijdde Tanja zich uit zijn greep. 'Als je niets zinnigs weet te zeggen, hou dan gewoon je mond dicht,' zei ze scherp.

Benjamin trok met zijn schouders. 'Je kunt moeilijk verwachten dat ik erom ga huilen. Als ik met je moeder getrouwd zou zijn, ging ik er ook vandoor. Kom op, Tan. Zo'n vaart zal het heus niet lopen. Je moeder kennende is hij gewoon ergens wat gaan drinken of zo en bouwt zij daar weer hele drama's omheen. Misschien werd hij gebeld door een vrouwelijke collega, heeft je moeder daar ruzie over gemaakt en is hij weggegaan om dat te ontlopen. Zij belt jou huilend op, jij komt meteen aansnellen om haar te troosten en achteraf blijkt er niets aan de hand te zijn, behalve dan dat jouw weekend verpest is. Wedden?'

'Dat risico neem ik dan maar,' zei Tanja strak.

Op dat moment klonk er buiten een luid getoeter.

'Daar zijn ze,' zei Benjamin met een blik uit het raam. 'Kom, we gaan.' Hij pakte de weekendtas op en wilde naar de deur lopen.

'Wil jij werkelijk gewoon een weekend op stap gaan nu?' vroeg Tanja ongelovig.

'Waarom niet? Ik heb niets te maken met het huwelijk van je ouders, bovendien weet ik hoe jouw moeder de zaken kan overdrijven.'

'En als ze het deze keer eens niet overdrijft? Als hij werkelijk weg is?'

'Dan kan jij daar niets aan veranderen door thuis te blijven,' merkte Benjamin nuchter op. 'Als jij dit weekend laat schieten, komt hij daar echt niet door terug.'

'Jij bent werkelijk ongelooflijk.' Tanja schudde haar hoofd. 'Als jij verwacht dat ik onder deze omstandigheden mijn moeder laat barsten om zelf plezier te gaan maken, ken je me toch heel erg slecht.'

'Dat is dan jouw keus. Ik ga met mijn vrienden mee.' Weer werd er luid getoeterd, wat dringender dit keer. Benjamin zwaaide voor het raam ten teken dat hij eraan kwam. 'Wat doe je?' informeerde hij ongeduldig.

'Ik ga naar mijn moeder toe.'

Hij knikte alsof hij dat al verwacht had. 'Jammer. Sterkte dan maar. Ik kom zondagavond terug.' Na een vluchtige kus op haar wang liep hij de deur uit. 'Als je het mij maar niet verwijt als straks blijkt dat je je weekend voor niets hebt opgeofferd,' zei hij nog.

Met brandende ogen staarde Tanja het busje met daarin het vrolijke gezelschap na. Ze zou er heel wat voor overhebben om nu deel uit te kunnen maken van dit groepje, maar ze had geen keus. Haar moeder had zo overstuur geklonken. Op het hysterische af zelfs, iets wat absoluut niets voor Aafke was. Tanja kon zich niet voorstellen dat er echt niets aan de hand was, zoals Benjamin beweerde. Er was heel wat voor nodig om haar moeder uit het lood te krijgen.

HOOFDSTUK 6

Dat het wel degelijk ernst was, zag Tanja onmiddellijk bij het betreden van haar ouderlijk huis. De jassen van haar vader waren van de kapstok verdwenen, zijn onafscheidelijke hoed lag niet meer op de plank naast de voordeur en ook zijn handschoenen, altijd keurig in een mandje op diezelfde plank, waren weg. De huiskamer zag er onttakeld uit zonder zijn boeken en de verzameling cd's. De grote, glazen asbak op het tafeltje naast zijn grote leunstoel, waar hij altijd zijn sigaretten en aansteker had liggen, was eng leeg. Zelfs de krant lag niet onder het tafeltje op het smalle blad, zijn vaste plekje. Onthutst keek Tanja om zich heen. Wat ze ook verwacht had na het paniektelefoontje van haar moeder, dit niet. Onderweg hierheen had ze hoop gehouden dat Benjamin gelijk had met zijn bewering dat het allemaal wel mee zou vallen. De lege plekken in huis en het verslagen gezicht van haar moeder vertelden haar echter het tegendeel.

Aafke zat als een zombie op de bank. Haar gezicht was nat van de tranen, haar normaal gesproken keurig opgestoken, grijze kapsel vertoonde losse pieken en haar wangen waren vlekkerig van het huilen.

'Hij is echt weg, Tanja,' zei ze toonloos. Nerveus friemelde ze aan het zakdoekje in haar handen. 'Voorgoed.'

Verbijsterd liet Tanja zich naast haar op de bank zakken. 'Hoe kan dit?' vroeg ze zich hardop af. 'Ik bedoel... Jullie zijn al meer dan dertig jaar getrouwd.'

'Hij heeft een ander. Waarschijnlijk zo'n jonge, blonde del zonder verantwoordelijkheden die kan doen en laten wat ze wil.' Het klonk ongewoon hard en fel.

'Weet je dat zeker?' vroeg Tanja.

'Dat ze jong en blond is niet, dat hij een ander heeft wel. Hij heeft het me zelf verteld.'

'Je weet niet wie?'

'Nee. Volgens je vader ken ik haar niet.'

'Maar... Maar... Dit kan toch niet zomaar? Mam, dit is belachelijk!'

'Vertel mij wat,' zei Aafke bitter. 'Dat heb ik hem ook verteld, maar hij was niet voor rede vatbaar. Het enige wat hij steeds herhaalde was dat hij van haar houdt, dat hij allang niet meer gelukkig was met mij en dat ons huwelijk hem benauwt.'

'Zomaar ineens?' Tanja kon het niet bevatten. Dergelijk gedrag kon ze absoluut niet plaatsen bij haar vader, dit was niets voor hem. De keurige, grijze Gerbrand Noordeloos, al meer dan dertig jaar getrouwd, vader van een volwassen dochter, sinds zijn jeugd werkzaam bij dezelfde werkgever, die zich nooit te buiten ging aan uitspattingen en die zelfs nog nooit in zijn leven dronken was geweest, diezelfde Gerbrand had nu zijn hart en zijn hoofd verloren aan een jonge vrouw? Dat was niet met elkaar te rijmen.

'Ik denk dat het al een tijdje aan de gang is, minstens een paar weken. Al dat overwerk van de afgelopen tijd, ik had natuurlijk beter moeten weten.'

'Ga jezelf nou niet verwijten dat je niets gemerkt hebt,' zei Tanja meteen. 'Dit slaat echt nergens op, natuurlijk heb je het niet aan zien komen. Het is gewoon te zot voor woorden.'

'Zal het de midlifecrisis zijn?' vroeg Aafke hoopvol.

'Geen idee,' antwoordde Tanja naar waarheid. 'Maar maakt dat verschil? Volgens mij is er nooit een goed excuus voor zoiets.'

'Een midlifecrisis als oorzaak is in ieder geval beter te verteren dan het feit dat hij gewoon op me uitgekeken is.' Triest staarde Aafke voor zich uit. Van haar gewoonlijk fiere houding was op dit moment totaal niets meer over. In één klap was ze veranderd van een rijzige, zelfbewuste vrouw in een oud, nietig mensje, iets wat Tanja met medelijden bezag. Haar moeder leek zelfs wel tien centimeter gekrompen te zijn.

'Waar is papa nu?'

'Bij dat mens, neem ik aan.'

'Heeft hij geen adres of telefoonnummer achtergelaten?'

'Nee. Als het nodig is kan ik hem bereiken op zijn mobiel of via zijn werk.'

Kwaadheid begon in Tanja op te wellen. Het was absoluut onaanvaardbaar dat haar vader zo gehandeld had. Zelfs een vreemde liet je niet zomaar barsten, laat staan de vrouw waar je al meer dan dertig jaar mee getrouwd was. Hij had er op zijn minst voor kunnen zorgen dat er iemand bij Aafke was op het moment dat hij zijn koffers pakte. Voor hetzelfde geld was zij al weg geweest naar dat hotel en dan had haar moeder hier in haar eentje gezeten, ten prooi aan haar verdriet en aan het vernederende gevoel ingeruild te zijn voor een ander.

'Wat moet ik nu doen, Tanja?' vroeg Aafke hulpeloos.

'Niets, vrees ik,' antwoordde ze voorzichtig. Het deed haar pijn haar moeder zo gebroken te zien. De klap moest ontzettend hard aangekomen zijn. Het was ook niet niets als je na al die jaren zo hardvochtig aan de kant werd geschoven door de man van wie je hield. 'Je kunt hem niet dwingen terug te komen en op de een of andere manier zul je toch door moeten.'

'Dat klinkt wel erg makkelijk. Mijn hele leven heb ik aan die man gegeven, mijn eigen carrière is gestopt op het moment dat ik trouwde. Al die jaren heb ik je vader verzorgd en hem gesteund in zijn werk en hij heeft dat altijd vanzelfsprekend gevonden. Nu krijg ik ineens het verwijt dat ik geen eigen leven heb opgebouwd en dat er met mij geen goed gesprek te voeren valt. Alsof hij met haar niets anders doet dan praten,' schimpte Aafke.

'Kent hij haar van zijn werk?'

'Dat weet ik niet. Hij heeft verder niets over haar gezegd. Maar hij zal ongetwijfeld niet verliefd zijn geworden op haar goede verstand,' spotte Aafke. 'Zo wel, dan is hij de beroemde uitzondering op de regel, maar ik ben ook niet achterlijk en ik laat me niets wijsmaken. Het zal wel alleen om de seks draaien.'

Tanja gaf hier geen weerwoord op. Het seksleven van haar ouders vond ze geen onderwerp om uitgebreid te bespreken. Eerlijk gezegd was het iets waar ze liever helemaal niet over nadacht. Alleen al het idee van haar vader in bed met een jonge vrouw maakte haar vaag misselijk.

'Ik ga koffie zetten,' zei ze opstaand. 'Heb je al iets gegeten?'

'Ik heb geen honger.'

'Mam, je moet iets eten, al is het maar een boterham. Ik maak wel iets klaar.'

In de keuken leunde ze vermoeid tegen het aanrecht aan, nog

steeds niet helemaal bevattend wat er zo ineens allemaal gebeurde. Haar vader met een ander... Ze moest er bijna om lachen, zo bizar was het. Een paar uur geleden had ze nog gedacht aan het feit dat haar ouders zo'n voorspelbaar leven leidden, waarin iedere dag gelijk was aan de vorige. Een leven zonder onverwachte gebeurtenissen, alles volgens een vast patroon. Nou, ze had zich dus nog nooit ergens zo in vergist, dat bleek wel weer. Haar vader, de ietwat dominante Gerbrand Noordeloos die altijd alles beter wist, die anderen steevast vertelde wat ze moesten doen en die geen goed woord overhad voor mensen die niet volgens zijn normen en waarden leefden, bleek er een dubbele agenda op na te houden. Het was zo absurd dat ze het nog steeds niet helemaal geloofde. Eigenlijk verwachtte ze min of meer dat hij ieder moment thuis kon komen met de mededeling dat het een grap was geweest. Tanja wist echt niet wat ze ervan moest denken. Haar hart ging uit naar haar moeder, die volkomen stuurloos achter was gebleven in het grote huis.

Ze zette sterke koffie en warmde een blik soep op. Terwijl de geur daarvan in haar neus drong besefte ze dat ze honger had, ondanks alles. Sinds de lunch had ze niets meer gegeten en de avond was inmiddels al een behoorlijk eind gevorderd. Met weemoed dacht ze aan Benjamin en de rest van de groep, die nu waarschijnlijk ergens in een gezellig restaurantje zaten, met uitzicht op zee. Ze nam het hem kwalijk dat hij toch was gegaan na dat telefoontje van haar moeder, aan de andere kant was ze blij dat hij niet hier was. Zijn aanwezigheid zou de zaken er vast niet beter op maken. Haar moeder mocht Benjamin nu eenmaal niet en ze zou het vreselijk vinden als hij haar zo kwetsbaar zag. Aafke at een halve kom soep, de rest duwde ze vol walging van zich af.

'Ik kan echt niet eten, ik ben misselijk. Ga maar naar huis, kind. Je kunt toch niets doen hier.'

'Ik laat je niet alleen,' zei Tanja beslist. 'Benjamin is er dit weekend toch niet, tot zondagavond blijf ik in ieder geval bij je.'

'Dat is lief van je, maar je hoeft je niet op te offeren voor mij,' zei Aafke lijdzaam.

Tanja zweeg. Dat zei ze nu wel, maar ze wist zeker dat het op ruzie en verwijten uit zou draaien als ze inderdaad weg zou gaan. Aafke speelde nu eenmaal graag een beetje de martelares die anderen niet tot last wilde zijn, maar ondertussen verwachtte ze dat iedereen rekening met haar hield. In dit geval vond ze dat echter niet zo erg. Haar moeder had in de gegeven omstandigheden wel recht op wat aandacht en zorg.

De avond kroop voorbij voor Tanja. Keer op keer vertelde haar moeder wat er zich in de vooravond had afgespeeld en hoe geschokt ze was bij de onverwachte mededeling van haar man. 'Ik kende hem gewoon niet op dat moment,' zei ze. 'Hij was een wildvreemde voor me, iemand die me vaag bekend voorkwam, maar van wie ik niet wist hoe hij zou reageren. Meer dan dertig jaar heb ik met die man in één huis gewoond, ik zou toch de eerste moeten zijn die hem door en door kent. Hij is je vader, schat, dus ik wil hem niet zwartmaken in jouw ogen, maar ik heb nu even geen goed woord voor hem over.'

'Begrijpelijk,' reageerde Tanja daarop. Zelf was ze ook woest op haar vader. Bovendien was ze geen klein kind meer die makkelijk te beïnvloeden was door een van de strijdende partijen. Ze was volwassen en kon zich heel goed zelf een mening vormen over deze gebeurtenissen.

Ze zag dat Aafke, moe van het huilen, steeds een beetje indommelde en wist haar met zachte hand naar bed te krijgen, ondanks haar protesten.

'Ik wil niet naar bed,' zei ze als een opstandige kleuter. 'Dat bed is zo groot voor mij alleen.' Weer rolden de tranen over haar wangen.

'Ik kom straks bij je liggen,' beloofde Tanja haar. 'Het is beter als je gaat slapen, mam. Er komt nog genoeg op je af de komende tijd, daar heb je energie voor nodig.'

'Ik heb geen energie meer over,' huilde Aafke. 'Dat heeft hij meegenomen toen hij wegging. Mijn geest is helemaal leeg, Tanja. Ik kan niets zonder hem.'

'Natuurlijk wel. Je bent een sterke vrouw, bovendien help ik je overal mee. Hier hoef je niet in je eentje doorheen, mam.'

'Echt niet?' Aafke pakte haar hand vast en keek haar smekend aan. 'Je vader regelde altijd alles, ook op financieel gebied. Ik ben van huis uit vermogend, zoals je weet, maar ik heb geen flauw benul van wat er over is van de erfenis van mijn ouders. Ik weet niet eens of er een hypotheek op dit huis rust.'

'Dat zoeken we allemaal nog wel uit,' suste Tanja haar. 'Maar niet nu. Nu ga je slapen.' Ze bleef op de rand van het bed zitten tot haar moeder vast in slaap gevallen was, toen sloop ze op haar tenen de slaapkamer uit. Aafke snurkte licht en Tanja had al spijt van haar aanbod om bij haar te gaan slapen. Wat voor gebreken Benjamin ook mocht hebben, hij snurkte in ieder geval niet. Ze vroeg zich af of ze überhaupt een oog dicht zou kunnen doen met dat geronk naast haar. Enfin, dat was van later zorg. Voorlopig was ze helemaal nog niet van plan om naar bed te gaan en de kans dat ze rustig zou slapen was toch al heel erg klein. Ze was veel te opgefokt. Ze schonk nog een beker koffie voor zichzelf in en ging op zoek naar haar handtas. Uiteindelijk vond ze hem in de hal bij de voordeur, waar ze hem verbijsterd had laten vallen bij haar binnenkomst. Er stonden diverse gemiste oproepen vermeld op het display van haar telefoon, maar die negeerde ze. Eerst Fay bellen om haar verhaal kwijt te kunnen, zoals ze al jaren deed als er iets aan de hand was. Automatisch toetste ze het overbekende nummer in van haar vriendin. De telefoon ging twee keer over, toen klonk er een metalige stem die haar meldde dat dit nummer niet meer in gebruik was. Tanja vloekte hardop in de stille kamer. Fay woonde hier niet meer, in alle consternatie was ze dat gewoon vergeten. Twee dagen na haar vertrek had ze een mail gestuurd met daarin het nummer van Jaimes huistelefoon, maar die had ze nog niet opgeslagen in haar mobiel. Haar ouders bezaten geen computer, dus ze kon ook haar mail niet opvragen. Rusteloos beende ze heen en weer door de ouderwets ingerichte huiskamer. Ook dat nog! Haar vader was ervandoor, Benjamin was vrolijk op stap gegaan en haar beste vriendin kon ze niet bellen. Bijna had Tanja haar mobiel door de kamer heen gegooid, uit pure frustratie. Ze hield zich nog net op tijd in. Misschien had Fay haar wel gebeld en haar nieuwe mobiele nummer doorgegeven op de voicemail, hoopte ze. Snel bekeek ze de gemiste oproepen, Fay stond daar echter niet bij. Haar vader had wel gebeld, ontdekte ze. Een paar keer zelfs. Ook Benjamin had geprobeerd haar te bellen. Beiden hadden ze ingesproken op haar voicemail.

'Hoi schat, met mij,' hoorde ze haar vriend vrolijk zeggen. Op de achtergrond hoorde ze geroezemoes van stemmen en harde muziek. 'Jammer dat je er niet bij bent, want dit hotel is werkelijk geweldig. Je kunt natuurlijk altijd nog morgen met de trein komen, als je moeder wat gekalmeerd is. Het viel zeker allemaal wel mee? Bel me even terug, dan kunnen we afspreken hoe laat we je van het station afhalen.'

'Veel plezier bij je moeder,' hoorde Tanja toen de harde stem van Menno brullen, gevolgd door een gierend gelach van de rest van het gezelschap.

Misselijk drukte ze het bericht weg. Ze hadden geen idee wat zich hier allemaal afspeelde, dat was wel duidelijk. Maar Benjamin had het kunnen weten. Hij had met haar mee kunnen gaan na dat bewuste telefoontje, het weekendje weg met zijn vrienden had hij echter belangrijker gevonden. Dat hij niet stond te springen om haar moeder te helpen kon Tanja zich nog wel voorstellen, maar hij had thuis kunnen blijven om haar te steunen. Ze nam het hem hoogst kwalijk dat hij zonder meer weg was gegaan. Daar was het laatste woord zeker nog niet over gezegd. Maar nu had ze iets anders aan haar hoofd. Tanja aarzelde voor ze het bericht van haar vader afluisterde. Eigenlijk wilde ze niet eens horen wat hij te zeggen had. Voor zijn gedrag was toch geen aanvaardbaar excuus te verzinnen. Ze was werkelijk razend op hem en als hij nu tegenover haar zou staan zou het ongetwijfeld uitdraaien op een fikse ruzie. Hoewel ze normaal gesproken eigenlijk nooit goed tegen hem in durfde te gaan zou ze zich op dit moment niet in kunnen houden en hem alles voor de voeten gooien, dat wist ze zeker. Aan de andere kant bleef hij haar vader en hield ze van hem. Ondanks haar woede jegens hem besefte ze ook dat ze hem niet kwijt wilde in haar leven. Hij was echter wel met een keiharde klap van zijn voetstuk gevallen. Haar vader, die overal een mening over had, die behoorlijk superieur uit de hoek kon komen en die zich meestal gedroeg of hij de wijsheid in pacht had, bleek in staat te zijn de mensen die hem het meest na stonden willens en wetens heel veel verdriet te doen. Dat had ze toch nooit achter hem gezocht. Hun band was niet heel hecht te noemen, toch had Tanja altijd wel tegen hem opgekeken. Tot vanavond aan toe dan.

Na een tijdje was ze voldoende gekalmeerd om aan te horen wat hij te zeggen had. Met trillende vingers bracht ze haar telefoon naar haar oor om het bericht af te luisteren.

'Met je vader,' klonk het kort. 'Tanja, bel me alsjeblieft zo snel mogelijk. Er is heel wat aan de hand wat ik liever niet op een bandje inspreek, ik wil persoonlijk met je praten om je uitleg te geven. Het maakt niet uit hoe laat het is. Al wordt het midden in de nacht, bel me.'

Hij had in ieder geval het fatsoen gehad om haar zelf te willen vertellen dat hij wegging, dat was al meer dan Tanja verwachtte. Of hij belde alleen om zijn eigen straatje schoon te vegen, wetende dat haar moeder niet veel goeds te melden had over hem, was de volgende gedachte die in haar opkwam.

Het was inmiddels inderdaad midden in de nacht. Tanja wist dat hij op een telefoontje van haar zat te wachten, toch belde ze niet. Nog niet. Op dit moment kon ze de confrontatie met haar vader even niet aan, daarvoor was de klap te groot geweest. Ze moest eerst kalmeren voor ze een rustig gesprek met hem aan kon gaan.

In plaats van een telefoontje naar haar vader, toetste ze, bij gebrek aan Fay, het nummer van Claudine in. Ook al was het nacht, in dit soort gevallen moest je je vriendinnen kunnen bellen om je hart uit te storten. Zoals zo vaak de laatste tijd nam Claudine echter niet op. Het bandje dat meldde dat ze een bericht in kon spreken luisterde Tanja niet af. Dit keer slingerde ze haar telefoon wel wild van zich af. Die stuiterde een paar keer op de houten vloer, daarna bleef hij in een hoek van de kamer liggen. Voor het eerst sinds het noodlottige telefoontje van haar moeder begon ze te huilen, uit pure onmacht. Er was werkelijk niemand bij wie ze op dat moment terechtkon. Judith hoefde ze niet eens te proberen, dat wist ze van tevoren. Haar kennende was ze op stap en zou ze haar telefoon niet eens horen. En zo wel, dan was Judith toch de laatste persoon om haar te troosten en te bemoedigen. Via het roddelcircuit zouden Judiths ouders snel genoeg op de hoogte zijn van dit nieuws en het ongetwijfeld doorvertellen aan hun dochter, dus dan kwam ze het vanzelf te weten.

Uiteindelijk liep Tanja naar de slaapkamer van haar moeder. Aafke was diep in slaap, maar haar wangen vertoonden nog steeds de sporen van tranen. Met medelijden keek Tanja op haar neer. Haar lange, rijzige moeder leek zo nietig in haar eentje in dat tweepersoonsbed. Van haar dominante houding was totaal niets meer over.

HOOFDSTUK 7

Tanja bleef tot zondagavond bij haar moeder. Het werd een moeilijk weekend, waarin Aafke veel huilde en Tanja haar onvermoeibaar probeerde te troosten. Maar voor een dergelijk verdriet bestond geen troost. Het enige wat deze wond kon helen was tijd. Veel tijd, waarschijnlijk. Hoewel ze enorm naar haar eigen flat verlangde, kostte het Tanja moeite om haar moeder achter te laten. Aafke zat in de grote leunstoel bij het raam, alle kracht en energie leek uit haar weggevloeid te zijn. Tanja aarzelde bij de deur. Het voelde bijna als verraad om weg te gaan, maar ze kon onmogelijk nog langer blijven. Morgen moest ze trouwens weer werken.

'Weet je zeker dat je het redt?' vroeg ze onzeker.

'Ik zal wel moeten,' was het cynische antwoord. 'Tenslotte ben ik nu een alleenstaande vrouw. Misschien zal het wel gaan wennen.' Ze zuchtte diep.

'Eventueel kan ik vannacht nog blijven,' bood Tanja aan. 'Morgen moet ik werken.'

'Nee kind, ga jij maar naar je eigen huis,' zei Aafke. 'Jij hebt je eigen leven en Benjamin. Ik kan niet van je verlangen dat je hier constant op de stoep staat. Van slapen zal toch wel weinig komen,' voegde ze er somber aan toe.

Tanja streed met zichzelf. Haar verstand vertelde haar dat ze gewoon weg moest gaan. Ze kon hier moeilijk intrekken om het voor haar moeder makkelijker te maken. Haar gevoel sprak echter een andere taal. Haar moeder zag er zo eenzaam uit. Toch zou ze hier zelf doorheen moeten. Zij, Tanja, kon een helpende hand en steun bieden, maar ze kon haar moeders problemen niet oplossen en haar verdriet niet overnemen.

'Bel me in ieder geval als er iets is, ook al is het midden in de nacht,' bedong ze voor ze wegging.

Fietsend door de stille stad bleef het beeld van Aafke zoals ze erbij had gezeten, op haar netvlies staan. In stilte verwenste ze haar vader, die dit op zijn geweten had. Ze had nog steeds geen contact met hem opgenomen, hoewel hij in de loop van het weekend verschillende keren had gebeld. Zijn verzoeken om terug te bellen hadden steeds dringender geklonken, maar Tanja was nog niet zover dat ze zijn telefoontjes kon beantwoorden. Ze wist echter dat ze het niet langer meer uit kon stellen. Benjamin bleek nog niet thuis te zijn, dus besloot ze meteen de stoute schoenen aan te trekken. Nu haar moeder niet in de buurt was, kon ze tenminste vrijuit praten.

Gespannen wachtte ze tot haar vader op zou nemen, iets wat direct na het eerste gerinkel van zijn telefoon gebeurde.

'Tanja, eindelijk,' begroette hij haar. 'Ik heb het hele weekend op je telefoontje gewacht.'

'Ik ben dit weekend bij mama geweest, zij had me harder nodig dan jij,' reageerde Tanja koeltjes.

'Hoe is het met haar?'

'Ga me niet vertellen dat je daar echt in geïnteresseerd bent.'

Ze hoorde hem zuchten aan de andere kant van de lijn. 'Ik hoor het al, ik ben de grote boeman in dit verhaal. Er zitten echter twee kanten aan, Tanja. Ik wil heel graag met je praten. Kun je naar me toekomen?'

'Gezellig bij je nieuwe vriendin thuis?' informeerde ze hatelijk.

'We kunnen ergens in een rustig café afspreken. Bij de Grote Toren,' stelde hij voor. 'Over een kwartier?'

Tanja keek uit het raam. Het witte busje van Jaap kwam net het parkeerterrein oprijden. Luide stemmen klonken op toen de deuren geopend werden en Benjamin uitstapte. Hij zwaaide het toeterende busje lang na.

'Over een uur,' zei ze voor ze de verbinding verbrak.

'Hé, daar ben je,' begroette Benjamin haar opgewekt. Hij zag er onweerstaanbaar knap uit in zijn gebleekte jeans en het donkerrode shirt, met daar boven zijn bruine gezicht, maar Tanja werd er op dat moment niet warm of koud van. 'Je hebt helemaal niet meer teruggebeld. Heb je mijn bericht niet gehoord?'

'Jawel, maar ik had andere zaken aan mijn hoofd. Mijn vader is echt weg, Benjamin. Hij is vrijdag ingetrokken bij zijn nieuwe vriendin en mijn moeder zat er helemaal doorheen. Ik kon haar onmogelijk alleen laten. Bedankt voor je medeleven trouwens. Het was erg fijn dat je informeerde hoe de zaken ervoor stonden,' zei Tanja sarcastisch.

'Ik kon toch niet weten dat het zo dramatisch was?' verdedigde hij zichzelf.

'Omdat het je geen bal interesseerde. Jij maakt liever plezier met je vrienden dan anderen te helpen. Zelfs ik kom achteraan,' merkte Tanja bitter op.

'Schat, geloof me, als ik had kunnen vermoeden dat de situatie zo ernstig was, was ik nooit weggegaan,' verzekerde Benjamin haar terwijl hij haar in zijn armen nam. 'Maar ik ken je moeder, ze is koningin in overdrijven en ze ziet de zaken altijd alleen op haar manier. Ik ben er geen seconde van uitgegaan dat je vader werkelijk bij haar weg was. Je vader, nota bene! Je keurige, nette vader, die normen en waarden hoog in zijn vaandel heeft staan. Dat geloof je toch niet?'

'Geloof het maar wel,' zuchtte Tanja terwijl ze tegen hem aan leunde. Eigenlijk kon ze het Benjamin niet eens kwalijk nemen dat hij er zo over dacht. Hij had gelijk, haar moeder was inderdaad zoals hij haar net beschreven had. Het zou haar ook eigenlijk niet verbaasd hebben als ze vrijdagavond binnen was gekomen en haar ouders in volle harmonie samen had aangetroffen. Jammer genoeg was dat niet zo. De realiteit stond hiermee in schrille tegenstelling. 'Ik ben het hele weekend bij haar gebleven, want ze is er heel erg aan toe. Logisch natuurlijk. Morgenavond moeten we samen maar even bij haar langsgaan.'

'Je hebt dus geen makkelijke dagen gehad,' begreep Benjamin meelevend. 'Arme jij. Als ik dat had geweten, had ik me niet zo goed geamuseerd. Gelukkig voor jou ben ik er nu om je op te beuren.'

Plagend begon hij de knoopjes van haar blouse los te maken, maar Tanja weerde hem af.

'Niet nu. Ik heb net mijn vader gebeld, hij wil met me praten.' Ze keek op haar horloge. 'Over een halfuur hebben we afgesproken in de Grote Toren.'

'Wat kan hij je nog te vertellen hebben wat je nog niet weet?'

'Zijn beweegredenen bijvoorbeeld. Ik snap er echt niks van.'

'Zo moeilijk is dat toch niet te begrijpen?' Benjamin begon te lachen. 'Hij is verliefd geworden op een lekker jong ding en vervolgens heeft hij zijn oude zure vrouw voor haar ingeruild.

Voilà, daar is je reden. Nu hoef je tenminste niet naar hem toe, dus kunnen wij verder gaan met leukere dingen.' Weer greep hij naar haar blouse.

Met een ruk draaide Tanja zich om. 'Jij beschouwt dit allemaal als een grote grap, hè?' zei ze kwaad. 'Nou, veel plezier ermee, maar ik kan er niet om lachen.'

'Een drama kan ik het inderdaad niet noemen,' zei Benjamin schouderophalend. 'Het is rot voor je moeder, aan de andere kant heeft ze het er zelf natuurlijk ook naar gemaakt. Zo gezellig is ze niet. Ik zou tenminste niet iedere dag bij haar thuis willen komen vanuit mijn werk, dus wat dat betreft kan ik wel begrip voor je vader opbrengen.'

'Ik niet.'

'Dan hoef je ook niet naar hem toe te gaan. Doe nou eens niet zo afstandelijk en kom bij me.' Tanja duwde hem weg, nu werd ze echt kwaad. 'Je bent een egoïst,' verweet ze hem. 'Je denkt alleen maar aan jezelf en aan je eigen pleziertjes. Ik zeg toch dat ik weg moet?'

'Lekker gezellig, we hebben elkaar een heel weekend niet gezien,' mokte Benjamin.

'Dat is mijn schuld anders niet,' repliceerde Tanja met een strak gezicht.

'En nu ik terug ben en we tijd voor elkaar kunnen hebben, ga jij weg,' vervolgde hij alsof ze niets gezegd had. 'Je vindt je vader blijkbaar belangrijker dan mij, terwijl hij juist degene is die dit alles heeft veroorzaakt. Over egoïsme gesproken. Laat hem lekker op je wachten, dat heeft hij verdiend.'

'Daarnet had je anders nog alle begrip voor hem,' hoonde Tanja. 'Het is ook maar precies hoe het jou uitkomt, hè? Nou, ik ga. Ik weet niet hoe laat ik terug ben.'

Eigenlijk hoopte ze dat Benjamin zou aanbieden haar te vergezellen, want ze kon wel een beetje steun gebruiken bij de confrontatie met haar vader, maar hij maakte geen aanstalten in die richting.

'Dan ga ik maar douchen en vroeg naar bed. Alleen,' voegde hij daar nadrukkelijk aan toe.

'Net als mijn moeder, na ruim dertig jaar huwelijk,' kon Tanja niet nalaten te zeggen voor ze de deur achter zich dichttrok.

Zenuwachtig betrad ze even later het bewuste café. Haar vader was er al, zag ze. Hij zat met zijn rug naar de deur en had haar niet binnen zien komen, zodat ze hem even ongemerkt kon observeren. Hij was haar vader, ze kende hem al haar hele leven, maar op dat moment leek hij een vreemde voor haar. Met langzame passen liep ze naar het tafeltje waar hij aan zat.

'Tanja. Fijn dat je wilde komen.' Gerbrand stond op en gaf haar een vormelijke kus op de wang. Hij was duidelijk net zo verlegen met deze situatie als zij. Als willekeurige kennissen zaten ze tegenover elkaar. Tanja zweeg. Ze was niet van plan om hem tegemoet te komen en het hem makkelijker te maken.

'Het spijt me,' zei Gerbrand na een lange, gespannen stilte. 'Het was nooit mijn bedoeling om het zover te laten komen, het is helemaal uit de hand gelopen.'

'Noem jij het zo als je je vrouw volkomen onvoorbereid in de steek laat, na een huwelijk dat bijna een half mensenleven heeft geduurd?' zei Tanja.

Met een gepijnigde uitdrukking op zijn gezicht keek hij haar aan. 'Is dat wat je moeder je verteld heeft?'

'Is het niet waar dan?'

Hij schudde zijn hoofd. 'Je moeder wist ervan, Tanja. Van mijn vriendin, bedoel ik. Het speelt al een tijdje en ik ben van het begin af aan eerlijk tegen haar geweest.'

'Eerlijk?' Ze lachte honend. 'Dus het is oké om je vrouw te bedriegen, als je het haar maar vertelt? Dat is ook een opvatting. De manier waarop je mij hebt opgevoed, staat daar echter lijnrecht tegenover.'

'Ik heb haar niet bedrogen. Niet meteen tenminste. Zodra ik gevoelens begon te krijgen voor een ander heb ik open kaart gespeeld in de hoop dat we er samen uit konden komen. Sindsdien was een normaal, redelijk gesprek echter niet meer mogelijk. Ik zal daar niet verder over uitweiden en ik wil je moeder zeker niet zwartmaken in jouw ogen, maar het was een hel thuis.' Met een vermoeid gebaar streek hij over zijn ogen. Het viel Tanja nu pas op dat hij er niet bepaald florissant uitzag. Niet zoals je mocht verwachten van iemand die verliefd was.

'Vrijdag is de bom helemaal gebarsten en heb ik mijn spullen gepakt. Ze heeft me min of meer de deur uit gejaagd, kun je wel zeggen.'

Tanja gaf hier niet direct antwoord op. Dit was een heel andere versie dan het verhaal dat haar moeder haar verteld had en ze wist niet goed wat ze ervan moest denken. Een van haar ouders vertelde duidelijk niet de volledige waarheid. Maar het verdriet van haar moeder was niet gespeeld geweest, daar was ze van overtuigd. Ze was echt gebroken.

'Na zoveel jaar te horen krijgen dat je man verliefd is op een ander, geeft je eigenlijk wel het recht om kwaad te zijn,' zei ze langzaam, zoekend naar woorden. 'Ik denk niet dat je haar dat kwalijk kunt nemen.'

'Wat ik je moeder wel of niet kwalijk neem, ga ik niet met jou bespreken. Het is ons probleem en daar sta jij verder buiten. Ik zit hier niet om kwaad van haar te spreken of om jou aan mijn kant te krijgen, want daar is geen sprake van. Ik wilde je alleen graag zien en je uitleggen wat me hiertoe bewogen heeft. Hopelijk verandert er niets tussen ons, Tanja. Jij blijft altijd mijn dochter en ik jouw vader, ook na een scheiding tussen je moeder en mij.'

'Gaan jullie echt scheiden?' vroeg Tanja. Daar ging haar hoop dat het een tijdelijke dwaling was die weer goedgemaakt kon worden.

Gerbrand knikte. 'Er is teveel gebeurd om de zaken nog terug te kunnen draaien. Niet alleen nu, het gaat al jaren niet zoals het in een goed huwelijk zou moeten. Bovendien...' Hij stokte even en keek haar verlegen aan. 'Bovendien hou ik van iemand anders. Het is niet zomaar een vluchtige verliefdheid, het gaat veel dieper.'

'Daar wil ik niets over horen,' zei Tanja afwerend. 'Ik ben nog niet eens gewend aan het feit dat jij thuis weg bent, van je nieuwe relatie hoef ik niets te weten. Ik wil haar ook niet ontmoeten. Voorlopig niet tenminste.'

Ze verwachtte dat haar vader hiertegen zou protesteren, maar hij knikte instemmend. Hij leek zelfs enigszins opgelucht bij deze woorden.

'Wij kunnen af en toe hier afspreken als we elkaar willen zien. En je kunt me natuurlijk altijd bellen,' zei hij.

'Je woont dus bij haar,' concludeerde Tanja hieruit.

Weer knikte hij. 'Veel keus heb ik overigens niet, woonruimte ligt niet voor het opscheppen.'

'Zo erg zul je dat anders niet vinden,' merkte Tanja schamper op.

'In ieder geval ben ik blij dat je gekomen bent. Ik was al bang dat je me niet meer wilde zien,' bekende Gerbrand.

'Eerlijk gezegd stond ik niet te springen,' zei Tanja. 'Ik ben dit hele weekend bij mama geweest, ze is er heel slecht aan toe. Hoe het ook gegaan is tussen jullie, ik neem je wel kwalijk dat je haar zo hebt achtergelaten. Ze zit met haar handen in het haar. Er is natuurlijk ontzettend veel te regelen, ook op financieel gebied en daar weet ze niets van.'

'Dat valt wel mee,' zei Gerbrand licht cynisch. 'Je moeder weet beter wat er inkomt en uitgaat dan ik. We zijn getrouwd op huwelijkse voorwaarden en ze heeft geld uit de erfenis van haar ouders dat vaststaat op een rekening die ik zelfs nog nooit onder ogen heb gehad. Het huis staat trouwens ook op haar naam, dus ze hoeft niet bang te zijn dat ze moet verhuizen. We hebben er destijds niet eens een hypotheek op hoeven nemen, je moeder heeft het huis gekocht en in één keer betaald.'

Dit was informatie die Tanja moest verwerken. Wat haar moeder gezegd had, klopte hier niet mee. Maar waarschijnlijk was ze zo in de war geweest dat ze daar niet eens bij stil had gestaan.

'Kijk uit dat je je hier niet te veel in mee laat slepen,' waarschuwde Gerbrand haar. 'Nogmaals, ik wil niet kwaadspreken over je moeder, maar ze kan heel goed manipuleren. Ons huwelijk is ons probleem, laat je er niet in betrekken. Het is niet de bedoeling dat jij alle lasten op je schouders krijgt gelegd.'

Dat klonk heel mooi, maar Tanja voelde zich, nu al, als een pion die willekeurig heen en weer geschoven werd. De verhalen van haar ouders klopten niet met elkaar en zij stond daarbij in het midden. Ook al was ze geen kind meer, ze was wel hun kind en het leek erop dat beide partijen bezig waren haar naar hun eigen kamp te trekken. Ze had haar vader nog nooit op een leugen kunnen betrappen, toch neigde ze er meer naar om haar moeder te geloven. Ze was zo kapot geweest van verdriet, dat kon onmogelijk toneelspel zijn geweest. Als ze de waarheid al had verdraaid, dan was het niet bewust geweest. Dat haar vader zijn eigen straatje wilde schoonvegen was waarschijnlijk niet meer dan logisch. Tenslotte was hij de kwade pier in dit verhaal, degene die weg was gegaan. Het was niet te verwachten dat hij de schuld bij zichzelf zou leggen en ronduit toe zou geven dat hij een schoft was die zijn vrouw had laten barsten vanwege een jonger iemand.

Met een hoofd vol verwarde gedachten ging ze terug naar huis. Benjamin was inderdaad vroeg naar bed gegaan, zag ze. Hij had het afgelopen weekend zeker weinig slaap gehad, want het was niets voor hem om voor middernacht al te slapen. Zelf was ze nog helemaal niet moe. Haar hersens maakten overuren, dus van rustig slapen zou het voorlopig nog wel niet komen.

Ze startte haar computer op en zocht het telefoonnummer van Jaime. Eindelijk kon ze dan toch Fay bellen om haar te vertellen wat er allemaal gebeurd was. Het was onvoorstelbaar dat dit al twee dagen aan de gang was zonder dat Fay ervan af wist, dat zou normaal gesproken nooit gebeuren. Jaime nam op en omdat haar Spaans nog slechter was dan haar Russisch, vroeg Tanja in het Engels naar Fay. Haar vriendin kwam meteen aan de lijn.

'Wat bel je op een raar tijdstip. Is er iets aan de hand?' vroeg ze bezorgd.

Het werd Tanja warm om het hart. Dit was de reactie die ze tevergeefs had gezocht bij Benjamin en Claudine.

'Nogal, ja.' Tot in detail vertelde ze wat er allemaal voorgevallen was en zoals ze al verwacht had leefde Fay enorm met haar mee. Ze spraken ruim een uur met elkaar, wat niet best was voor Tanja's telefoonrekening, maar wel voor haar humeur. Samen met Fay kon ze er zelfs om lachen en er grapjes over maken, iets wat alleen bij haar vriendin mogelijk was. Na afloop van het gesprek voelde ze zich dan ook een stuk beter.

'Bedankt,' zei ze uit de grond van haar hart. 'Ik had je even nodig om de boel te relativeren, want ik zag het niet meer zitten.'

'Graag gedaan,' antwoordde Fay daar lachend op. 'Als je weer een therapeutische sessie nodig hebt, bel je maar.'

'Dat gaat waarschijnlijk vaker gebeuren dan je lief is,' voorspelde Tanja. 'Maar genoeg over mij. Hoe gaat het daar? Ben je al een beetje gewend?'

'Alsof ik hier al jaren woon,' vertelde Fay opgewekt. 'Het is zo'n zalig idee dat Jaime en ik geen afscheid meer van elkaar hoeven nemen. En het weer is hier natuurlijk fantastisch. Ik ben nu al hartstikke bruin. Zolang ik nog geen werk gevonden heb, geniet ik heerlijk van de zon en het strand. We wonen echt op een steenworp afstand van de zee, dus ik kan mijn hart ophalen.'

'Fijn voor je,' zei Tanja hartelijk. 'Geniet er maar van.'

'Dat ben ik zeker wel van plan. Sterkte met alles, Tan. We bellen elkaar snel weer, oké?'

Lang bleef Tanja nog met haar telefoon in haar hand zitten nadat de verbinding verbroken was. Fay had het duidelijk naar haar zin in Spanje. Ze was gelukkig, dat was goed aan haar stem te horen geweest. Diep in haar hart vond ze dat een beetje jammer, al was Fay de eerste persoon die ze het geluk gunde. Maar de kans op een terugkeer van haar vriendin was zo wel heel erg klein. Natuurlijk kon ze haar bellen, maar dat was toch anders dan rechtstreeks contact met elkaar. Zichzelf verwensend om deze egoïstische gedachtegang stond Tanja op. Zonder veel hoop op succes probeerde ze Claudine nog een keer te bellen, maar zoals steeds hoorde ze slechts het bandje van haar voicemail en moedeloos hing ze op. Nu Fay weg was wilde ze graag de band met Claudine wat meer aanhalen, maar op deze manier was daar weinig zicht op. Enfin, Claudine kennende zou ze binnenkort wel weer genoeg hebben van de nieuwe man in haar leven en dan had ze weer alle tijd.

Plotseling schoot Tanja hardop in de lach, een vreemd geluid in de verder stille flat. Ze was wel een goede vriendin, maar niet heus! In stilte hoopte ze gewoon dat haar beide vriendinnen ongelukkig zouden worden in de liefde, alleen maar omdat dat haar beter uitkwam. Het was maar goed dat ze dit niet wisten, anders was het zeker snel gedaan met de vriendschap. Nog na-grinnikend kleedde ze zich uit en voorzichtig stapte ze naast de slapende Benjamin in bed. Hij bewoog even, maar werd niet wakker, waar Tanja stiekem blij om was. Het laatste waar ze op dit moment behoefte aan had, was aan Benjamins amoureuze toenaderingspogingen.

HOOFDSTUK 8

'Je blijft toch wel eten?' vroeg Aafke. Hoewel, het had meer geklonken als een bevel, dacht Tanja bij zichzelf. Ze aarzelde met antwoord geven. Benjamin was aan het werk en het was koopavond. Ze wilde naar een pas geopend winkelcentrum aan de andere kant van de stad om eens uitgebreid te shoppen en had het plan opgevat om daar een hapje te eten.

'Toe nou, dat is gezellig,' drong Aafke echter aan. Ze zette haar lijdzame gezicht op, het gezicht waar Tanja langzamerhand een hekel aan begon te krijgen. 'Dan heb ik tenminste weer eens een reden om te koken. Voor mezelf neem ik die moeite niet. Het is zo ongezellig om in je eentje aan een gedekte tafel te zitten dat ik tegenwoordig meestal een boterham uit het vuistje neem.'

Zuchtend gaf Tanja toe. Voor de zoveelste keer. Sinds haar vader uit huis vertrokken was, nu drie weken geleden, legde haar moeder voortdurend beslag op haar. Ze hing minstens drie keer per dag aan de telefoon, vroeg haar regelmatig om langs te komen omdat er iets geregeld moest worden wat ze niet begreep en verwachtte dat Tanja naar haar toe kwam als Benjamin moest werken. Het liefst ook nog als Benjamin niet moest werken. In korte tijd had Aafke zich volledig afhankelijk gemaakt van haar dochter. En hoe kon Tanja weigeren in deze omstandigheden? Aafke had het zo zwaar, zij voelde zich verplicht om haar te helpen, hoewel dit al tot de nodige ruzies met Benjamin had geleid. Hij kon weinig begrip voor Aafkes situatie opbrengen en had Tanja al een paar keer gezegd dat ze meer afstand moest nemen van de problemen van haar moeder.

Enfin, Benjamin was er nu niet, dus hij kon er ook niets van zeggen en na het eten kon ze alsnog gaan winkelen. Bij haar moeder eten was in ieder geval goedkoper dan een maaltijd in de stad, dat was dan weer een voordeel.

'Als het niet te laat wordt,' zei ze met een blik op haar horloge. 'Ik wil nog even naar de stad, het is koopavond.'

Aafkes gezicht betrok, maar Tanja reageerde daar wijselijk niet op. Ze begreep best dat haar moeder eenzaam was en haar

73

bezoekjes zo veel mogelijk probeerde te rekken, er zaten echter wel grenzen aan haar verdraagzaamheid. Ze kwam hier al veel vaker dan haar lief was, met de nodige problemen als gevolg. Tegenwoordig deed ze voor haar gevoel niets anders dan schipperen tussen haar moeder en Benjamin. Ze hadden haar beiden nodig en eisten ook allebei die aandacht op, zonder rekening met haar te houden. Af en toe werd ze er doodmoe van. Het plotselinge vertrek van haar vader had verstrekkende gevolgen. Niet alleen voor Aafke, maar zeker ook voor haarzelf. Haar leven bestond momenteel uit werken, zorgen voor haar moeder en ruziemaken met Benjamin. Hoe ze deze cirkel moest doorbreken wist ze niet. Fay had haar in hun laatste telefoongesprek verteld dat ze zelf moest veranderen als ze iets aan deze situatie wilde doen, maar dat klonk makkelijker dan het in de praktijk was. Tanja vond het moeilijk om haar moeder teleur te stellen, dus gaf ze veel vaker toe dan ze zelf wilde. Omdat ze ook begrip had voor het feit dat Benjamin zich achtergesteld voelde, zorgde ze er zo veel mogelijk voor het hem naar de zin te maken als hij thuis was. Aan zichzelf kwam ze op deze manier helemaal niet meer toe. Het avondje winkelen dat ze nu voor zichzelf gepland had, liet ze zich dan ook zeker niet afnemen, nam ze zich ferm voor.

Ze weigerde de koffie die Aafke haar na het eten aanbood en trok om halfacht opgelucht de deur van haar ouderlijk huis achter zich dicht. Het was toch weer later geworden dan ze van plan was geweest, maar ze had haar moeder niet met de afwas willen laten zitten.

Het nieuwe winkelcentrum bood een ruime keus aan leuke kledingwinkels, schoenenzaken, parfumerieën en talloze winkels met leuke hebbedingetjes. De tijd die Tanja had was dan ook veel te kort, al wist ze een paar mooie shirts en twee nieuwe boeken te scoren. Ze genoot ervan om zo in haar eentje de schappen af te struinen naar iets van haar gading. Winkelen was iets wat ze altijd al liever alleen had gedaan dan met een vriendin samen. Ze kon prima zelf bepalen wat haar wel of niet stond, daar had ze andermans mening niet voor nodig. Tanja vond het juist prettig om met niemand rekening te hoeven houden en alleen die winkels te bezoeken waar ze zelf heen wilde gaan. De anderhalf uur die ze die avond te besteden had voor de winkels sloten, vloog dan ook om. Na nog snel iets afgerekend te hebben bij een verkoopster die duidelijk blij was dat de dag erop zat, liep ze om tien over negen het overdekte centrum uit, waarna de automatische schuifdeuren achter haar hermetisch in het slot schoven. Eigenlijk moest ze heel erg nodig naar het toilet. Zoekend keek Tanja om zich heen naar een gelegenheid waar ze iets kon drinken, maar buiten het winkelcentrum bevond zich geen enkele horecagelegenheid. Hè, vervelend. Ze verwenste zichzelf dat ze niet eerder ergens naar binnen was gegaan, maar ze was zo verdiept in het winkelen dat ze niet eens in de gaten had gehad dat haar blaas nodig geleegd moest worden. Naar hun flat was het nog zeker twintig minuten fietsen en ze had het gevoel dat ze dat niet zou redden.

Ze kon wel even langs Claudine gaan, besloot Tanja. Die woonde hier maar drie straten vandaan. Wel zo gezellig ook, want ze hadden elkaar al een hele tijd niet gezien of gesproken, op een paar vluchtige telefoontjes na. Hopende dat haar vriendin thuis was, zette Tanja koers in de richting van haar huis. Het licht brandde, zag ze tot haar grote opluchting. Inmiddels stond ze zowat op ontploffen. Nog voordat ze haar fiets op slot zette, belde ze aan. Ongeduldig, van het ene been op het andere been wippend, wachtte ze tot er open werd gedaan, wat even duurde. Eindelijk hoorde ze dan toch langzame voetstappen in de gang.

'Ik ben het, Clau, Tanja. Doe snel open!' riep ze terwijl ze op de deur bonsde.

'Is er ergens brand of zo?' mopperde Claudine. Ze deed inderdaad open, maar bleef in de deuropening staan, zodat Tanja niet naar binnen kon. 'Je komt heel erg ongelegen, sorry. Ik sta op het punt om de deur uit te gaan. Eigenlijk ben ik al te laat.'

'Nu nog?' verbaasde Tanja zich. Ze keek naar het onopgemaakte gezicht van haar vriendin, iets wat zeer ongebruikelijk was voor Claudine. Die ging nooit zonder make-up op haar gezicht naar buiten. Bovendien droeg ze een makkelijk zittend huispak en een paar comfortabele pantoffels. Weliswaar allemaal van heel mooie stoffen en uitstekende kwaliteit, maar zeker niet geschikt om mee naar buiten te gaan. Op dat moment kon Tanja zich daar echter niet druk over maken, ze had maar één doel voor ogen.

'Laat me alsjeblieft even naar je toilet gaan,' zei ze smekend. 'Ik doe het haast in mijn broek, dat red ik echt niet meer tot huis.' Heel even aarzelde Claudine nog, toen ging ze een stap opzij.

'Heel snel dan,' zei ze gejaagd.

Tanja was zo opgelucht dat ze zich daar niet eens over verbaasde. Als een raket schoot ze het smalle gangetje door, rechtstreeks naar het toilet, dat zich naast de huiskamer bevond. De deur van de huiskamer zat dicht, maar ze hoorde een licht gerucht binnen. Met een zucht van verlichting ging ze zitten. Eindelijk! Nu drong het ook pas tot haar door dat Claudine zich wel heel erg vreemd gedroeg. Waarschijnlijk zat die geheimzinnige vriend van haar binnen en wilde ze haar daarom niet ontvangen. Plezierig vroeg Tanja zich af wat er in vredesnaam met die man aan de hand moest zijn dat Claudine hem zo angstvallig verborg. Misschien was hij wel vreselijk mismaakt, met een bochel, een hazenlip en uitpuilende ogen, fantaseerde ze. Of juist het tegenovergestelde, dat hij zo ontzettend knap was dat Claudine hem niet voor durfde te stellen aan haar vriendinnen, uit angst dat die al hun charmes in de strijd zouden gooien om hem af te pakken. Enfin, dat waren haar zaken verder niet, al verwonderde ze zich er wel over dat Claudine zo mysterieus deed. Dat was niets voor haar, zij pronkte juist altijd met haar veroveringen en was er trots op dat mannen als bosjes voor haar vielen. Tanja was in ieder geval niet van plan om haar uit te horen, hoe nieuwsgierig ze ook was. Als haar vriendin deze privacy wenste in haar relatie zou ze dat respecteren. Als het serieus was, kwam ze vanzelf wel een keer met hem op de proppen. Ze waste haar handen bij het kleine fonteintje en stapte de gang weer in. Claudine stond nog steeds bij de geopende buitendeur, duidelijk verwachtend dat ze onmiddellijk weer zou vertrekken.

'Bedankt,' zei Tanja. 'Dit is een enorme opluchting.'

'Ga nu maar gauw voordat het helemaal donker wordt,' zei Claudine. Haar stem klonk hoog van nervositeit.

'Je wilt me echt graag weg hebben, hè?' kon Tanja niet nalaten haar te plagen. 'Wees maar niet bang, ik zal me niet opdringen. Veel plezier nog de rest van de avond.' Ze wilde Claudine een zoen op haar wang geven als afscheid, maar bleef ineens verstard van schrik staan, met haar ogen strak gericht op de kapstok. Dit kon toch niet? Langzaam strekte ze haar hand uit naar de jas die er hing. Een zeer bekende jas. Tegelijkertijd viel haar oog op de hoed die ernaast hing. Met een bleek gezicht van schrik keerde ze zich naar Claudine toe. Haar vriendin, die haar blik gevolgd had, trok wit weg.

'Wat is dit?' vroeg Tanja schor.

'Trek geen overhaaste conclusies, Tan,' zei Claudine haastig. 'Het is niet wat je denkt.'

'Zijn er nog andere verklaringen dan?' vroeg Tanja zich hardop af. Haar hersens werkten als een razende. Ze wist wat dit moest betekenen, maar kon het niet geloven. Met alles wat in haar was hoopte ze dat Claudine inderdaad met een logische uitleg zou komen. Een uitleg die haar vermoeden niet zou bevestigen. Claudine stond echter met haar mond vol tanden. Haar ogen vlogen zenuwachtig naar de deur van de huiskamer en op dat moment drong de volle waarheid tot Tanja door. Met twee grote passen was ze aan het einde van de gang en voor dat iemand haar tegen kon houden rukte ze de huiskamerdeur open. Haar hart bonkte luid en haar adem stokte in haar keel. Daar, op de bank, trof ze de man aan die ze verwachtte, maar van wie ze gehoopt had dat hij er niet zou zijn. Alle puzzelstukjes vielen ineens op hun plaats. Claudines vreemde gedrag de laatste tijd, het feit dat haar vader zijn nieuwe adres niet bekend had willen maken en zijn opluchting toen zij had gezegd dat ze zijn nieuwe vriendin niet wilde ontmoeten.

'Hallo pa,' zei ze. Ze wist zelf niet waar ze die kalmte vandaan haalde. Inwendig ontplofte ze bijna van alle emoties die door haar lijf raasden.

'Tanja!' Schutterig stond hij op. 'Wat eh… Wat een verrassing. Kom binnen.'

'Waarom? Zodat we gezellig met zijn drieën iets kunnen drinken?' vroeg ze sarcastisch.

Ze keek van de een naar de ander. Haar vader en haar vriendin. Dit was zo'n bizarre situatie dat ze niet goed wist wat ze moest zeggen. Geen seconde was deze mogelijkheid bij haar opgekomen, zelfs niet bij Claudines doorzichtige pogingen haar te ontwijken. Ze had wel begrepen dat die een vriend had met wie ze niet naar buiten wilde treden, maar geen haar op haar hoofd had daarbij aan haar eigen vader gedacht.

'Het spijt me dat je er op deze manier achter moest komen,' zei Claudine nu. 'Dat was niet onze bedoeling.'

'Nee, dat blijkt. Als jullie hadden gewild dat ik hiervan op de hoogte moest zijn, hadden jullie het wel verteld,' reageerde Tanja koeltjes. 'Maar jullie doen het liever stiekem. Bah! Hoe lang hadden jullie dat nog vol willen houden?'

'Ik begrijp dat het een schok voor je is,' nam haar vader het woord.

'Dat is zacht uitgedrukt. Mijn hemel, pa! Claudine is nog jonger dan ik. Walgelijk!'

'Dit heeft niets met leeftijd te maken,' zei Claudine trots. Ze ging naast Gerbrand staan en keek Tanja uitdagend aan. 'We houden van elkaar.'

'Ja, vast,' schimpte Tanja. 'Jullie houden zoveel van elkaar dat het allemaal op een achterbakse manier moest.'

'Probeer begrip te hebben voor onze situatie,' verzocht Gerbrand. Hij sloeg zijn arm om Claudines schouder heen, maar bij het zien van de priemende blik die Tanja hun toewierp liet hij haar haastig weer los. 'Het is niet makkelijk, Tanja.'

'Nee, het moet ontzettend moeilijk zijn om de vrouw met wie je ruim dertig jaar getrouwd bent in de steek te laten voor een vriendin die dezelfde leeftijd heeft als je dochter,' gaf Tanja hatelijk terug. 'Alsof zo'n jong grietje niet de ultieme wens is van iedere oude man. Ik vind dit echt te smerig voor woorden.' Ze wendde zich tot Claudine en keek haar met fonkelende ogen aan. Van alle emoties die haar besprongen, nam de woede de overhand. 'Ik dacht dat jij mijn vriendin was.'

'Dat ben ik ook,' zei Claudine onmiddellijk.

'Niet waar!' Woest schudde Tanja haar hoofd. 'Dan zou je dit niet geflikt hebben.'

'Gevoelens laten zich niet dwingen. Ik kan het niet helpen dat ik verliefd werd op je vader,' wierp Claudine tegen.

'Misschien niet, maar je hebt wel zelf in de hand hoe je ermee omgaat. Je weet hoe mijn moeder eraan toe is, je weet hoe ik in de knoop zat met zijn vertrek. Het minste wat je op zo'n moment van een vriendin verwacht is een beetje steun, een schouder om op uit te huilen. Jij gaf echter totaal niet thuis en ik begrijp nu waarom. Terwijl mijn moeder en ik bezig waren deze schok te verwerken, lag jij in bed met mijn vader!' Tanja spuwde die woorden bijna uit.

'En jij…' Nu wees ze naar Gerbrand, die er als een geslagen hond bij stond. 'Voor jou heb ik helemaal geen goed woord over. Lafaard! Je zit me wel zielige praatjes te verkopen over je huwelijk, maar je hebt niet het lef om me de waarheid over jezelf te zeggen.'

'We wilden je geen pijn doen,' probeerde Gerbrand zichzelf te verdedigen.

Tanja lachte honend. 'In dat geval had je niet bij mama weg moeten gaan.'

'Je moeder en ik zijn al lange tijd niet meer gelukkig met elkaar. Ik laat in het midden wie daar schuldig aan is, maar het is een feit dat ons huwelijk niet veel meer voorstelde. Op een gegeven moment was dat toch wel fout gelopen, ook als ik Claudine niet had ontmoet,' zei Gerbrand kalm. 'Dat het in dit geval om een vriendin van jou gaat, was een complicatie die de zaak er niet makkelijker op maakte, maar ik wilde mezelf deze kans op geluk niet ontzeggen.'

'Dus liegen jullie de hele boel bij elkaar, zogenaamd met goede bedoelingen. Onder het mom dat jullie het beste met me voor hebben word ik aan alle kanten belazerd. Op dat gebied hebben jullie elkaar tenminste gevonden. Jullie verdienen elkaar,' zei Tanja verachtelijk. 'Met zulke vriendinnen als jij heb ik tenminste geen vijanden meer nodig.'

De tranen sprongen in haar ogen en omdat ze absoluut niet wilde huilen waar Gerbrand en Claudine bij waren, draaide ze zich om. Zonder nog iets te zeggen liep ze naar buiten, waar ze het slot van haar fiets haalde.

'Tanja, wacht!' Gerbrand pakte haar stuur vast, zodat ze niet weg kon rijden. 'Het spijt me.'

'Wat? Dat je het gedaan hebt of dat ik erachter ben gekomen?' vroeg Tanja hard. Ze trok met kracht aan haar fiets, zodat hij wel los moest laten. Snel stapte ze op.

'Ik bel je!' riep hij haar na terwijl ze de straat uit fietste.

Ja, vast, dacht ze grimmig bij zichzelf. Dat had hij de vorige keer, na hun gesprek bij de Grote Toren, ook gezegd, maar ze zat nog te wachten op zijn telefoontje. Nu begreep ze waarom. Haar vader had wel iets anders te doen dan zich druk te maken om de gemoedstoestand van zijn dochter, dat bleek wel. Ze wist hoe Claudine was als ze een vriend had. Ze verslond ze met huid en haar, zoals ze zelf altijd trots verkondigde. Pijnlijk duidelijk herinnerde Tanja zich een vorige vriend van Claudine, die ook getrouwd was.

'Voelt hij zich niet schuldig ten opzichte van zijn vrouw?' had Tanja haar toen gevraagd.

'Daar heeft hij geen tijd voor als hij bij mij is,' had Claudine daar met een grote grijns en een veelbetekenende knipoog op geantwoord.

Een golf van misselijkheid sloeg door haar heen. Ook al had haar vriendin weinig scrupules op dit gebied, van haar vader had ze toch wel meer verwacht. Haar onkreukbare vader, die altijd zo zijn mond vol had over wat wel en niet deugde. Dit deugde duidelijk niet, maar ineens leek dat niet meer te tellen. Eenmaal thuis liet ze haar tranen de vrije loop. Woede, onmacht, verdriet en vernedering vanwege de leugens die haar waren verteld, streden om de voorrang in haar binnenste. Ze was helemaal lamgeslagen en verdoofd, zo groot was de schok geweest. Ze belde Fay, maar die nam niet op. Bij Judith hoefde ze hier helemaal niet mee aan te komen, wist ze. Via haar ouders had ze gehoord wat er allemaal voorgevallen was, maar ze had niet eens de moeite genomen om even te bellen. Als vriendin was Judith een grote mislukking. Claudine overigens ook sinds vanavond. En Fay, de enige bij wie ze wel altijd terechtkon, was geëmigreerd en woonde nu honderden kilometers bij haar vandaan. Haar vriendinnenbestand was ineens wel uitgedund, er was helemaal niemand meer over. Haar moeder kon ze ook niet bellen om deze ontdekking mee te delen. Eens zou ze het haar moeten vertellen, maar nu nog niet. Ze moest het eerst zelf een plekje zien te geven. Maar hoe? Hoe moest ze er mee leren omgaan dat een van haar beste vriendinnen een relatie had met haar bloedeigen vader? Het voelde zelfs een beetje als incest. En hoe moest het gaan als deze relatie echt serieus bleek te zijn, in plaats van een voorbijgaande bevlieging? Stel je voor dat ze gingen trouwen, dan werd Claudine haar stiefmoeder! Tanja moest bijna lachen bij dit absurde idee. Ze gunde haar vader best nieuw geluk, maar dan bij iemand anders. Iemand van zijn eigen leeftijd bijvoorbeeld. Iemand bij wie zij, Tanja, geen braakneigingen op voelde komen als ze hen samen zag. Of was ze nu heel erg egoïstisch bezig? Tenslotte was ze toch niet zo bekrompen dat ze een dergelijk leeftijdsverschil niet kon accepteren. Claudine was drieëntwintig, haar vader zesenvijftig. Dat was een fors, bijna onoverkomelijk verschil, maar als ze dat zelf niet als een bezwaar zagen, had zij dan eigenlijk het recht om daar een oordeel over te vellen? Maar dat was het niet alleen, besefte ze toen. Het was vooral het feit dat ze zo stiekem hadden gedaan wat haar tegen de borst stuitte. Als hun relatie oprecht was, hadden ze er eerlijk mee naar buiten kunnen komen. Tanja kreeg echter een vieze smaak in haar mond bij de gedachte dat ze Claudine aan de telefoon had gehad terwijl haar vader op de achtergrond meeluisterde. Misschien had hij zelfs wel naakt in haar bed gelegen op dat moment! Ze griezelde bij het idee. Juist dat stiekeme maakte het zo smerig en goedkoop in haar ogen. Daar kwam ook nog bij dat ze van Claudine, als haar vriendin, wel enige steun had verwacht toen haar vader zo plotseling zijn biezen had gepakt.

Het was in ieder geval wel duidelijk dat ze haar voortaan als vriendin kon afschrijven, hoe de zaken zich verder ook zouden ontwikkelen. Op deze manier bleven er weinig mensen over, dacht Tanja somber.

HOOFDSTUK 9

De uren verstreken zonder dat haar verbijstering over wat ze net ontdekt had verdween. Van slapen kwam natuurlijk helemaal niets. Benjamin vond Tanja bij zijn thuiskomst, om kwart over één 's nachts, op de bank, waar ze in het donker voor zich uit zat te staren. Hij schrok toen hij het licht aanknipte en haar zo zag zitten.

'Ben jij nog op?' vroeg hij overbodig en verbaasd. 'Waarom zit je hier zo in het donker? Is er iets aan de hand? Was het soms zo erg bij je moeder?'

'Bij mijn moeder viel het wel mee. Nog wel, tenminste. Ik vraag me af hoe ze eraan toe zal zijn als ik haar vertel wie de vriendin van mijn vader is. Je zult het niet geloven. Claudine,' voegde ze er meteen aan toe. 'Claudine is zijn nieuwe liefje, de vrouw voor wie hij alles in de steek heeft gelaten, voor wie hij mijn moeder heeft afgedankt.'

'Claudine? Jouw vriendin, bedoel je?' Benjamin floot tussen zijn tanden. 'En jij vroeg je nog wel af waarom hij het gedaan heeft. Nu, daar is je antwoord. Claudine... Die is wel in staat om het hoofd van een man zo op hol te brengen dat hij zijn huwelijk ervoor opgeeft, ja.'

'Is dat alles wat je erover te zeggen hebt?' vroeg Tanja vinnig.

'Ik heb anders wel gelijk. Liefje, waarom maak jij je hier zo druk over? Of het nu Claudine is of een ander, iemand die je niet kent, wat is nou eigenlijk het verschil?'

'Me dunkt. Claudine is mijn vriendin, Benjamin. Iemand van wie je een beetje medeleven en steun verwacht in dergelijke situaties. Je gaat er niet van uit dat ze een mes in je rug steekt door de problemen te veroorzaken,' zei Tanja bitter.

'Ze is anders niet de enige schuldige in dit geheel,' meende Benjamin. 'Word volwassen, Tan. Dit soort dingen gebeuren nu eenmaal. Het is even slikken als het een bekende blijkt te zijn van wie je het niet verwacht, maar in wezen maakt het natuurlijk niets uit wie het is.'

'Ik vind dat jij er erg makkelijk over denkt. Claudine is van mijn

leeftijd, mijn vader is drieëndertig jaar ouder. Dat kan onmogelijk goed blijven gaan.'

'Nou en? Ze hebben het nu leuk met elkaar, daar gaat het om.
Wat de toekomst brengt weet niemand. Ze leven bij de dag en
genieten van het heden. Helemaal geen slechte eigenschap,
vind ik.'

'Dat klinkt in theorie heel aardig en bij andere mensen zou ik
het er misschien zelfs mee eens zijn, maar we praten in dit
geval wel over mijn vader,' zei Tanja scherp. 'Zijn genot en plezier gaan zwaar ten koste van mijn moeder, die hem meer dan
dertig jaar van haar leven gegeven heeft. Niet iets om zo luchtig over te doen.'

Benjamin haalde zijn schouders op. Zelf zag hij dat probleem
niet zo. Stiekem had hij er zelfs wel een beetje bewondering
voor.

'Wat ziet zij trouwens in hem?' vroeg Tanja zich hardop af.

'Dat is een bekend verschijnsel,' antwoordde Benjamin. 'Je ziet
vaker dat jonge vrouwen op oudere mannen vallen. Jouw vader
is best een gedistingeerde verschijning, hij heeft een goede
baan en hij hoeft zich niet meer druk te maken over alles wat
jonge mannen bezighoudt. Bovendien ziet hij er nog erg goed
uit voor zijn leeftijd, moet ik zeggen. Jonge vrouwen kijken
daar vaak tegenop. Het geeft ze blijkbaar een gevoel van
bescherming en van veiligheid.'

'Dan nog.' Tanja rilde. 'Ik moet er niet aan denken.'

Benjamin grinnikte onbeschaamd. 'De betekenis van de naam
Gerbrand is Vlammende Speer. Als hij die naam eer aandoet,
begrijp ik Claudine wel.'

'Bah!' Kwaad stond Tanja op. 'Fijn dat jij er tenminste om kan
lachen, dan heeft iemand nog plezier van deze hele situatie.
Mijn lol is anders wel verdwenen.' Ze wilde de kamer uit lopen,
maar Benjamin hield haar tegen.

'Maak je nou niet zo druk,' suste hij. 'De situatie is zoals hij is,
daar kun je toch niets aan veranderen. Kwaad worden helpt
niet en jezelf de put in helpen al helemaal niet.'

'Er grapjes over maken ook niet,' zei Tanja bitter.

'Sorry, ik zei het niet om je te kwetsen,' zei hij deemoedig. 'Ik kan er niets aan doen dat ik hier de humor wel van in kan zien. Jouw onkreukbare vader die al ruim dertig jaar getrouwd is en die altijd zo zijn mond vol heeft over fatsoen, met je mannenverslindende vriendin. Ik vind het een grappige combinatie. In ieder geval eentje die ik zelf nooit verzonnen zou hebben.'

'Geen haar op mijn hoofd heeft hier zelfs aan gedacht,' zuchtte Tanja. 'Terwijl alle tekenen toch duidelijk waren, achteraf gezien. Als iemand het me verteld zou hebben, had ik het waarschijnlijk ook niet geloofd. Het is dat ik hem bij haar thuis betrapte vanavond.'

'In een compromitterende situatie?' vroeg Benjamin met glinsterende ogen.

Tanja rukte zich los uit zijn armen, maar weer pakte hij haar vast voor ze weg kon lopen.

'Hier moet je tegen kunnen, Tan. Je zult wel meer van dergelijke opmerkingen te horen krijgen als dit nieuws eenmaal algemeen bekend wordt.'

'Ik mag toch hopen dat ze daar discreet in zijn.'

'Als jouw moeder dit weet, bazuint ze het echt wel overal rond,' voorspelde Benjamin. 'Reken maar dat die het gaat uitbuiten om hem in een slecht daglicht te zetten en zelf nog meer het slachtoffer te kunnen spelen.'

'Misschien kan ik het haar beter niet vertellen,' overwoog Tanja. Ze ging weer op de bank zitten en keek peinzend voor zich uit. 'Ach nee, dat kan ik niet maken,' zei ze toen zelf al. 'Als ze er later achterkomt en dan hoort dat ik het al wist, is het huis te klein. Ze heeft recht op de waarheid.'

'Maar je gaat het haar niet onmiddellijk vertellen. Laat het eerst een paar dagen bezinken,' adviseerde Benjamin. 'Morgen is het vrijdag en moet je werken, dan heb je tenminste even iets anders om aan te denken. Zaterdag ben ik vrij en dan gaan we samen uit, ook als afleiding. Daarna kijk je er misschien heel anders tegenaan.'

'Ja, misschien ga ik Claudine dan wel 'mama' noemen en kan ik me oprecht verheugen in hun geluk,' hoonde Tanja.

Benjamin lachte. 'Zie je wel? Je kunt er nu zelfs al grapjes over maken, nog voordat ik je mee uit genomen heb.'

'Als je maar niet denkt dat je daar nu nog onderuit komt.' Ze nestelde zich tegen hem aan.

'Wat gaan we doen?'

'Nog geen idee, maar we verzinnen wel iets leuks,' beloofde hij. 'Nu gaan we in ieder geval naar bed. Kijk eens hoe laat het is? Morgen ben je niets waard op je werk.' Hij stond op en trok haar mee de slaapkamer in. 'Uitkleden, liggen en slapen,' beval hij daar. 'Niet meer piekeren, daar heb je alleen jezelf maar mee.'

'Ja baas,' grinnikte Tanja. Gehoorzaam deed ze wat hij zei en tot haar eigen verbazing viel ze vrij snel in slaap. Ze was dan ook doodmoe van deze enerverende avond. Een paar uur later wekte haar wekker haar weer wreed uit deze vergetelheid. Met moeite opende ze haar ogen en meteen stond alles haar weer haarscherp voor de geest, al vroeg ze zich een fractie van een seconde af of ze het niet allemaal gedroomd had. Ondanks haar veel te korte nachtrust arriveerde ze op tijd op haar werk.

'Jij ziet eruit alsof je de halve nacht aan de boemel bent geweest,' grinnikte Tiny, een van de verpleegkundigen die nachtdienst had gedraaid en die ze af moest lossen.

'Was het maar waar,' verzuchtte Tanja wrang. 'Dan had ik tenminste lol gehad van mijn hoofdpijn.'

Tiny ging niet op die woorden in, wat Tanja eigenlijk een beetje jammer vond. Graag had ze haar hart eens uit willen storten bij iemand die de betrokken personen niet kende en er wellicht een objectief oordeel over kon geven. Vroeger had ze regelmatig met Tiny samengewerkt en konden ze goed met elkaar opschieten, tegenwoordig bestond hun contact echter slechts uit conversaties over het werk.

'Jij hebt tenminste tijd om lekker op stap te gaan,' zei Tiny alsof Tanja niets had gezegd. 'Je hebt het goed voor elkaar, hoor, met die drie dagen per week werken. Ik kan me de laatste keer niet heugen dat ik eens een nacht door heb gehaald, met die onregelmatige diensten. Enfin, zullen we de overdracht even doornemen? Ik verlang naar mijn bed.'

Ik ook, dacht Tanja bij zichzelf. Ze zou er heel wat voor over hebben om nog een paar uurtjes te kunnen slapen, maar het leek haar beter om dat niet te zeggen. Ze had al zo'n uitzonderingspositie hier met haar parttime baan. Natuurlijk was ze niet de enige op de afdeling die vierentwintig uur per week werkte en geen wisseldiensten draaide, maar ze was wel de enige die haar volledige baan ervoor had ingeruild. Collega's met wie ze vroeger regelmatig samenwerkte, zag ze nu een stuk minder, wat de onderlinge verstandhouding niet ten goede kwam. Tanja miste nu veel van de roddels, de laatste nieuwtjes en de persoonlijke gesprekken, waardoor ze het gevoel had er niet meer echt bij te horen. Haar oude collega's zagen haar niet meer helemaal voor vol aan en bij de andere parttimers vond ze ook niet veel aansluiting. Die vormden al een hechte groep voor zij erbij kwam en daar kwam ze niet echt tussen. Al met al was haar werk er niet leuker op geworden sinds ze nog maar drie dagen per week in het verzorgingstehuis was. Haar moeder had haar dit voorspeld, herinnerde ze zich. Toen had ze erom gelachen en het luchtig weggewuifd, ondertussen was echter gebleken dat ze gelijk had gekregen. Ze hoorde er niet meer bij. Misschien was het verstandiger om ander werk te zoeken en ergens helemaal opnieuw te beginnen. De gunstige voorwaarden die ze hier had zou ze echter niet snel weer vinden. Bovendien was dit nu even het laatste wat haar bezighield. Ze had wel iets anders aan haar hoofd met alle perikelen die zich in haar persoonlijke leven afspeelden.

Na afloop van haar werk ging ze rechtstreeks naar huis. Ze had er de afgelopen weken een gewoonte van gemaakt om vanaf het verzorgingstehuis even langs haar moeder te fietsen, maar dat sloeg ze vandaag over. Ze kon onmogelijk tegenover haar moeder zitten zonder te vertellen wat ze de vorige avond ontdekt had en ze kon het nog niet aan om het haar wél te vertellen. Ze zou niet weten hoe ze dat moest doen, daar moest ze eerst de juiste woorden voor vinden. Bovendien werd het toch tijd dat ze die dagelijkse bezoekjes een beetje af ging bouwen, dat kon ze moeilijk de rest van haar leven blijven doen. In plaats van langs te gaan zou ze haar wel even bellen als ze thuis was, nam Tanja zich voor. Daar kreeg ze echter de kans niet eens voor. Ze was nog niet goed en wel binnen in haar flat of haar telefoon begon al te rinkelen.

'Waar blijf je nou?' vroeg Aafke klagerig. 'Ik zit hier met verse koffie op je te wachten.'

'Vandaag heb ik geen tijd,' verontschuldigde Tanja zich niet helemaal naar waarheid. 'Ik wilde je net bellen.'

'Dat had je ook wel eerder kunnen laten weten,' zei Aafke vinnig.

'Sorry mam. Het was erg druk vandaag, ik heb thuis nog een hoop te doen en ik heb hoofdpijn,' zei Tanja. Ondertussen vroeg ze zich af waarom ze eigenlijk een verklaring moest geven. De mededeling dat ze niet kwam zou genoeg moeten zijn. Ze wist echter dat haar moeder dat niet zonder meer accepteerde.

'Er kwam vandaag een brief van de belasting binnen die ik niet begrijp, ik zou het fijn vinden als jij daar even naar wilt kijken. Maar ja, als je geen tijd voor me hebt...' Haar stem stierf langzaam weg en Tanja voelde zich op slag weer schuldig.

'Ik kom zondag,' beloofde ze haastig.

'Dan pas? Waarom kom je morgen niet gezellig, dan maak ik iets lekkers voor je.'

'Morgen gaan Benjamin en ik een dagje op stap, we eten onderweg iets en komen pas laat thuis.'

'O. Fijn voor je. Ik hoop dat je veel plezier hebt. Maak je vooral niet druk om mij, lieverd. Ik red me wel,' zei Aafke na een korte stilte.

'Oké, dan zie ik je zondag en eet ik bij je,' zei Tanja om haar eerdere weigering goed te maken.

De hoofdpijn die ze net als excuus had aangevoerd, begon nu werkelijk op te zetten. Ze voelde haar nekspieren gewoon verkrampen. Het viel niet mee om zo normaal mogelijk tegenover haar moeder te moeten doen. Zondag zou ze er niet onderuit komen en moest ze haar vertellen wat ze wist, dat kon niet anders. Het zou een enorme klap voor haar moeder zijn.

De verbinding was nog maar net verbroken of de telefoon liet opnieuw van zich horen. Er zonder meer van uitgaande dat het weer haar moeder was die nog iets wilde zeggen, nam Tanja op zonder op de display te kijken naar het nummer.

'Met je vader,' klonk echter de bekende stem van Gerbrand in haar oor.

Ook dat nog! Gelaten sloot ze haar ogen, zichzelf verwensend dat ze het nummer niet gecontroleerd had. Als ze dit had geweten had ze beslist niet opgenomen. Het laatste waar ze nu behoefte aan had, was aan een gesprek met haar vader over zijn nieuwe liefje.

'Ik wil niet met je praten,' zei ze dan ook. Het had kortaf en beslist moeten klinken, maar haar stem trilde.

'Je kunt me niet blijven ontlopen omdat mijn liefdesleven je niet bevalt. Ik ben en blijf je vader,' wees Gerbrand haar terecht.

'Gedraag je dan ook zo en blijf gewoon bij mijn moeder in plaats van er met mijn vriendin vandoor te gaan,' weerlegde Tanja scherp.

'Ik heb je al eerder uitgelegd hoe de zaken ervoor staan tussen je moeder en mij. Claudine staat daar helemaal buiten. Ze vindt het overigens heel erg dat het zo gelopen is gisteravond. Ze is helemaal van slag en is bang dat ze je vriendschap heeft verspeeld.'

'Een gegronde angst,' verklaarde Tanja. 'Want ik heb mijn buik vol van haar. De manier waarop zij zich heeft opgesteld in dit drama, vind ik beneden alle peil.'

'Oordeel nou niet zo haastig. Laten we er een keer met elkaar, als volwassenen, over praten,' stelde Gerbrand voor.

'Ik heb niet zo'n behoefte aan jouw volwassen praatjes. Die heb ik te vaak gehoord,' bitste Tanja. Haar hoofd voelde aan alsof het ieder moment uit elkaar kon barsten en haar hele lijf stond strak van de zenuwen. 'Weet je nog hoe je mij ervan probeerde te overtuigen niet met Benjamin samen te gaan wonen? Dat was niet verstandig, zei je. Nou, inmiddels weet ik hoe verstandig je bent en besef ik dat ik me niet te veel van jouw mening aan moet trekken. Laat me liever met rust!' Die laatste woorden schreeuwde ze zowat voordat ze de verbinding verbrak. Huilend liet ze zich op de bank zakken, het werd haar even allemaal te veel. Toen haar telefoon weer begon te rinkelen checkte ze wel eerst wie er belde. Weer haar vader, zag ze. Ze liet hem overgaan tot hij ermee ophield. Even later klonk het melodietje dat aangaf dat er op haar voicemail ingesproken was, maar ze piekerde er niet over om dat bericht af te luisteren. Waarom kon hij haar mening niet gewoon respecteren en haar met rust laten? Alles wat haar ouders haar hadden geleerd, brachten ze zelf niet bepaald in praktijk. Ze voelde zich aan twee kanten opgeslokt door hen. Eigenlijk wilde ze ook geen partij trekken voor een van beiden, maar in de gegeven omstandigheden was dat wel heel erg moeilijk. Ongewild was ze ook veel meer bij hun scheiding betrokken geraakt dan ze zelf wilde. Het enige wat ze nu wenste was een paar dagen rust om alle zaken op een rijtje te zetten.

Resoluut zette Tanja haar telefoon uit. Dat was blijkbaar de enige manier om even geen contact te hoeven hebben, al was het natuurlijk te gek voor woorden dat dit nodig was. Ze zou verdraaid gewoon terugverlangen naar de tijd waarin de mobiele telefoon nog niet uitgevonden was en je niet voortdurend bereikbaar was voor iedereen.

Omdat ze geen zin had om voor zichzelf te koken at ze alleen een boterham, daarna schoof ze achter haar computer om Fay verslag te doen van de recente gebeurtenissen. Haar vriendin was echter niet online, dus in plaats van een chatsessie werd het een uitgebreide mail. Jammer, want nu kon het even duren voor daar respons op kwam en Tanja had er juist zo'n behoefte aan om dit met Fay te delen. Ze miste haar momenteel meer dan ooit. Hoewel Fay nog niet zo lang weg was, leek het alsof ze haar al jaren niet had gezien.

In de loop van de avond liet de slapeloze nacht die achter haar lag zich gelden en na het innemen van een paar pijnstillers stapte Tanja haar bed in.

De volgende ochtend werd ze, tot haar grote verrassing, door Benjamin gewekt met een kopje thee. Dat was nog geen enkele keer voorgekomen sinds ze samenwoonden, dergelijke gebaren kwamen altijd alleen van haar kant.

'Wat lief van je,' zei ze dus. 'Maar eigenlijk had ik jou thee moeten brengen, jij hebt tot laat moeten werken.'

'Dat viel wel mee. Ik was om twaalf uur al thuis,' zei hij. Hij sloeg het dekbed terug en kroop genoeglijk nog even naast haar in het warme bed. 'Vandaag is het jouw dag,' zei hij. 'We gaan allemaal leuke dingen doen.'

Tanja nipte van de nog hete thee. Ze vond dit zo lief van hem dat de tranen in haar ogen sprongen. De twijfels die ze de laatste tijd wel eens voelde over hun relatie, waren op slag verdwenen. Voor Benjamin was de huidige situatie ook niet makkelijk, dacht ze schuldbewust. Zij was zo bezig met haar ouders dat hij er wel eens bij inschoot. Eigenlijk was het helemaal niet vreemd dat hij daar wel eens genoeg van kreeg en het tussen hen tot fikse ruzies leidde. Ze moest echt leren wat meer afstand van andermans problemen te nemen om zich meer op haar partner te richten.

'Heb je al plannen?' informeerde ze.

Benjamin knikte geestdriftig. 'Eerst ergens uitgebreid ontbijten en dan naar de kermis,' openbaarde hij.

'De kermis?'

'Ja, er is er eentje hier niet zo ver vandaan. Ik heb de auto van Menno geleend, dus vervoer is geen probleem. We gaan een hele dag nergens aan denken en alleen maar plezier maken. Ik wil in iedere attractie die ze hebben,' nam hij zich voor.

Tanja slikte. Ze hield helemaal niet van kermissen en was veel te bang om in een achtbaan te stappen, maar hij was zo enthousiast dat ze dat niet wilde bederven door met die bekentenis voor de dag te komen. En wat kon het haar ook eigenlijk schelen, dacht ze toen overmoedig. Misschien was een drukke kermis, met schreeuwende muziek en angstaanjagend snelle attracties, wel precies wat ze nodig had. In ieder geval was ze van plan te genieten, hoe dan ook. Nadat ze haar thee opgedronken had sprong ze uit bed.

'Kom op dan,' spoorde ze hem aan. 'Douchen en wegwezen. Ik heb honger.'

Drie kwartier later stonden ze klaar om weg te gaan. Tanja pakte haar tas en zette haar telefoon weer aan. Er waren diverse berichten, zag ze. Terugbellen deed ze nu echter niet, daar ging ze zich later wel weer eens in verdiepen. Vandaag wilde ze helemaal geen zorgen aan haar hoofd hebben.

Ze stopte hem echter net terug in haar tas toen het toestel overging. Haar moeder, zag ze. Ondanks haar ferme voornemens
nam ze toch op.
'Hoi mam,' zei ze. Ze zag vanuit haar ooghoeken het gezicht van
Benjamin vertrekken.
'Tanja, ben je nog thuis?' vroeg haar moeder huilend. 'Kun je
alsjeblieft naar me toe komen? Ik ben van de trap gevallen.'
Tanja hield van schrik haar adem in. Als verpleegkundige wist
ze maar al te goed welke gevolgen een dergelijke val voor oudere mensen kon hebben, ook al was haar moeder nog lang niet
bejaard.
'Ik kom eraan,' beloofde ze meteen.
'Wat is er nu weer?' vroeg Benjamin spottend. 'Zit er een spin in
de kamer, heeft ze eng gedroomd of is haar melk op?'
'Ze is van de trap gevallen,' vertelde Tanja terwijl ze zich naar
de deur haastte. 'Ons dagje uit zal even moeten wachten, Benjamin. Dit gaat voor.'
Tot haar grote opluchting protesteerde hij niet. Met grote passen liep hij voor haar uit naar de auto die hij van zijn collega
had geleend. Een geluk bij een ongeluk, schoot het door Tanja
heen, aangezien Benjamins oude autootje het af had laten
weten. Met gemengde gevoelens stapte ze in. Natuurlijk ging zij
niet vrolijk naar de kermis terwijl Aafke misschien wel met een
gebroken heup in de hal lag, maar had haar moeder werkelijk
niet een dag kunnen wachten met van de trap te vallen?

HOOFDSTUK 10

Met haar sleutel haastte Tanja zich naar binnen, op de voet gevolgd door Benjamin. Ze verwachtte haar moeder in de hal aan te treffen, maar die was leeg.

'Dan valt het in ieder geval mee,' zei Benjamin bij het zien van haar blik.

Ze vonden Aafke in de huiskamer. Ze zat in de grote leunstoel van Gerbrand en haar rechtervoet steunde op een krukje.

'O, gelukkig dat jullie er zijn,' riep ze uit. Met een wanhopig gebaar klemde ze haar handen in elkaar. 'Ik wist me geen raad. Het spijt me dat ik je dagje uit moest torpederen, Tanja, maar ik wist niet wie ik anders moest bellen. Sinds je vader weg is, lijk ik wel een melaatse in de buurt.' Langzaam liep er een eenzame traan over haar wang.

'Het geeft niet,' zei Tanja sussend. 'Gelukkig waren we nog niet weg. Wat is er precies gebeurd en waar heb je pijn?'

'Mijn voet,' wees Aafke. 'Volgens mij klapte hij dubbel. Ik weet het niet meer precies, het gebeurde zo snel. In ieder geval kan ik er niet op lopen.'

'Hoe ben je dan naar de kamer gekomen?' vroeg Benjamin zich hardop af.

Aafke negeerde die vraag. 'Het doet zo'n pijn,' kermde ze luid. 'Denk je dat het gebroken is?'

'Volgens mij niet.' Hoewel Aafke keek alsof ze dit helemaal niet prettig vond, knielde Benjamin naast het krukje neer en betastte hij vakkundig de bewuste voet. Er was niets bijzonders aan te zien, constateerde hij. Voorzichtig bewoog hij het gewricht heen en weer, daarna duwde hij haar tenen omhoog en omlaag, wat allemaal soepel ging.

'Auw! Auw! Stop daarmee!' gilde Aafke.

'Ik ben arts,' zei hij. 'Als we naar het ziekenhuis gaan, doen ze daar precies hetzelfde. Daarna sturen ze je waarschijnlijk naar huis, omdat er niets aan de hand is.'

'Weet je dat zeker?' vroeg Tanja.

Benjamin knikte. 'Niet eens een lichte kneuzing. Er is ook geen sprake van een zwelling of een verkleuring.'

'Je bent dan misschien arts, maar je hebt geen röntgenogen,' zei Aafke vinnig. Haar tranen waren plotseling opgedroogd en ze keek hem woedend aan.

'Als jij erop staat, wil ik je met alle liefde naar de spoedeisende hulp brengen,' bood Benjamin verdacht vriendelijk aan. Zijn ogen tartten haar om hierop in te gaan.

'Nee, dank je wel,' zei Aafke echter waardig. 'Ik zou het niet durven om beslag op je vrije tijd te leggen.'

'Als jij denkt dat het nodig is om ernaar te laten kijken, is dat geen enkel probleem,' kwam Tanja nu. Zij merkte niets van het steekspel tussen haar moeder en haar vriend, ze was alleen maar bezorgd.

'Laat maar, kind. Gaan jullie maar weg, doe maar wat je van plan was. Als Benjamin zegt dat het niet gebroken is, vertrouw ik daarop. Hij is hier de deskundige. Toch bedankt dat jullie even langs wilden komen.' Haar stem trilde, evenals haar handen. Tanja zag het ongerust aan.

'Natuurlijk gaan we niet weg,' zei ze meteen. 'Ik ga koffiezetten, daar zul je nu wel behoefte aan hebben. Weet je zeker dat je voor de rest nergens iets mankeert?'

'Alleen erg geschrokken. Het was zo angstig. Heel even dacht ik dat mijn laatste uurtje geslagen had toen ik de grond van de hal op me af zag komen.' Opnieuw verschenen er tranen in haar ogen en Tanja sloeg troostend haar armen om haar moeder heen.

'Je hebt geluk gehad, het had veel erger kunnen zijn. Je had je nek wel kunnen breken.'

Benjamin zag eruit alsof hij dat niet zo heel erg zou hebben gevonden.

'Zal ik je even helpen met koffiezetten?' vroeg hij op een toon die geen tegenspraak duldde. Resoluut voerde hij haar mee de kamer uit. 'Waar ben je mee bezig?' siste hij in de gang.

'Wat bedoel je?' Tanja was oprecht verbaasd.

'Je moeder speelt toneel,' zei hij grimmig. 'Ze mankeert absoluut niets. Ik vraag me zelfs af of ze echt wel van die trap gevallen is.'

'Waarom zou ze zoiets verzinnen?' vroeg Tanja naïef.

'Om jou bij zich te houden. Ze kan gewoon niet uitstaan dat wij een dag samen weggaan en dit is haar manier om dat tegen te houden. Je medelijden opwekken, op je schuldgevoel werken, de martelares spelen. O, ze is hier zo goed in. Je zou er bijna intrappen,' antwoordde Benjamin sarcastisch.

'Dat geloof ik niet.' Tanja schudde haar hoofd. 'Ze is duidelijk enorm geschrokken. Ze is helemaal overstuur.'

'Ze speelt dat ze overstuur is,' verbeterde hij haar. 'Je zag zeker niet de triomfantelijke blik die ze mij toewierp na jouw opmerking dat we niet weggaan?'

'Je overdrijft.' Ze duwde hem opzij en liep de keuken in, waar ze aanstalten begon te maken om de beloofde koffie te zetten.

'We drinken één kop koffie met haar mee en dan gaan we,' waarschuwde Benjamin.

'Dat kunnen we niet maken. Ik kan haar nu niet alleen laten. Ze kan niet eens lopen,' stribbelde Tanja tegen.

'Die voet is perfect in orde.'

'Ze zal toch heus niet liegen dat ze pijn heeft.'

Benjamin keek haar aan alsof hij aan haar verstandelijke vermogens twijfelde. 'Dat is nu precies wat ze wel doet. Heb jij haar verteld dat we vandaag samen uitgaan en dat je dus geen tijd had om naar haar toe te komen?'

Tanja knikte aarzelend.

'Dat dacht ik wel. Ze kan gewoon niet uitstaan dat ze op de tweede plaats komt.'

'Ik kan niet geloven dat ze daar zover in zou gaan. Misschien overdrijft ze het iets uit angst om alleen te moeten zijn, maar als je beweert dat ze liegt ga je te ver.'

'Waarom denk je dan dat ze niet op mijn aanbod inging om haar naar het ziekenhuis te brengen? Ze weet dat ik haar doorheb.'

'Ze wil ons niet te veel lastig vallen, dus als jij zegt dat het niet nodig is om foto's van die voet te laten maken, vertrouwt ze daarop,' zei Tanja. Ze kon niet geloven dat Benjamin gelijk had met zijn beschuldigingen. Zover ging zelfs haar moeder niet, al wist Tanja heel goed dat Aafke een ster was in mensen manipuleren. Maar die tranen waren echt geweest, ze weigerde iets anders te geloven.

'Dat mens huilt op commando,' spotte Benjamin na een opmerking van haar in die richting. 'Hoe vaak heeft ze al niet snikkend aan de telefoon gehangen terwijl er later niets aan de hand bleek te zijn? En jij trapt er iedere keer weer in. Ik begin hier genoeg van te krijgen, Tanja. Het wordt hoog tijd dat jij grenzen aan gaat geven en haar voor eens en altijd goed duidelijk maakt dat ze niet voortdurend beslag op jouw tijd kan leggen. Op onze tijd,' verbeterde hij zichzelf meteen.

'Wil je nu werkelijk dat ik mijn moeder, die momenteel door een zware crisis heen gaat, vertel dat ze me niet meer mag bellen?' vroeg Tanja ongelovig.

'Niet voor ieder wissewasje en niet om jou steeds op te laten draven voor niets.'

'En als ik dat niet doe?' Ze keek hem uitdagend aan.

Er viel een diepe, gespannen stilte tussen hen.

'Dan is het wat mij betreft over,' zei Benjamin toen beslist. 'De keus is nu aan jou. Of je gaat straks gewoon met me mee en zet de problemen rondom je moeder een dag uit je hoofd, of je blijft hier en dan is het afgelopen. Dan kun je hier meteen blijven wonen.'

'Je kunt me niet zomaar ons huis uit zetten,' zei Tanja met beginnende paniek in haar stem. Dit dreigde volledig uit de hand te lopen. Waarom begreep Benjamin nu niet dat ze haar moeder op dit moment niet in de steek kon laten? Zelfs in het ergste geval, als het inderdaad allemaal verzonnen was, kon ze niet zomaar weggaan. Als Benjamin gelijk had, deed Aafke dat niet voor niets. Het was dan een wanhopige schreeuw om hulp en aandacht, een schreeuw die zij niet kon negeren.

'De flat staat op mijn naam en we hebben geen samenlevingscontract,' zei Benjamin nonchalant. 'Dus dat is geen enkel probleem.'

Nu werd ze serieus kwaad op hem. 'Over manipuleren gesproken,' zei ze scherp. 'Emotionele chantage valt daar ook onder en daar ben ik niet van gediend. Als jij denkt dat dit soort opmerkingen me over de streep trekken om jouw kant te kiezen, heb je het helemaal mis. Hier trap ik niet in.'

'Nee, bij mij niet,' zei Benjamin bitter. 'Als je moeder zoiets roept weet je niet hoe snel je haar haar zin moet geven.'

'Mijn moeder heeft jarenlang voor mij gezorgd. Op dit moment is ze een instabiele vrouw, wat niet verwonderlijk is als je na dertig jaar als oud vuil aan de kant wordt geschoven. Als haar dochter is het mijn taak haar hier doorheen te helpen. Jij bent daarentegen een gezonde, jonge vent die het niet kan hebben dat zijn vriendin even iets anders aan haar hoofd heeft dan zijn welzijn,' sloeg Tanja hard terug.

Benjamin trok met zijn schouders. 'Als je er zo over denkt heb ik daar weinig meer aan toe te voegen, dan weet ik genoeg. Ik verwacht dat je vandaag of uiterlijk morgen je spullen uit de flat haalt. Om woonruimte hoef je je in ieder geval geen zorgen te maken,' voegde hij daar hatelijk aan toe. 'Je moeder zal je met open armen ontvangen. Vertel haar maar dat ze gewonnen heeft.'

Met die woorden draaide hij zich om en liep hij weg. De buitendeur viel met een harde klap achter hem in het slot. Verbijsterd bleef Tanja in de keuken achter. Zomaar ineens viel alles in gruzelementen. De dag waar ze zich zo op had verheugd én haar relatie. Benjamin kon dit toch niet echt gemeend hebben? Diep in haar hart wist ze echter van wel. Hij had er genoeg van, dit was niet de eerste keer dat hij iets dergelijks zei. Deze keer was ze, in zijn ogen, echt te ver gegaan. Ondanks dat, had ze geen andere beslissing kunnen nemen, hoe erg ze dit ook vond. Als hij niet kon accepteren dat haar moeder in dit geval voorging, stelde hun relatie ook niet veel voor. Dan was het ook maar beter dat er een einde aan kwam, dacht Tanja opstandig. Tegelijkertijd begon ze echter te huilen. In het wilde weg graaide ze naar een handdoek om die tranen weg te vegen. Ze merkte niet eens dat de kamerdeur openging.

'Ik hoorde de deur dichtslaan. Was dat Benjamin?' vroeg Aafke. 'Ach lieverd, wat is er aan de hand?' Verrassend snel voor iemand die beweerde dat ze niet op haar gewonde voet kon lopen, kwam ze de keuken in. Door haar tranen heen registreerde Tanja dit feit, maar ze weigerde erover na te denken, want dat zou betekenen dat Benjamin in ieder geval niet helemaal ongelijk had gehad.

'Hij is weg,' snikte ze gesmoord.

'Weg? Helemaal weg? Ik bedoel...'

'Het is uit tussen ons,' maakte Tanja die zin af. Resoluut veegde ze haar gezicht af. 'En ik weiger daar nog een traan over te laten,' zei ze flink.

'Je hoeft je voor mij niet groot te houden,' zei Aafke zacht. 'Tenslotte weet ik als geen ander hoe het voelt als je in de steek wordt gelaten.'

'Zo ligt het niet helemaal. We... We hadden een onoverkomelijk verschil van mening. Benjamin accepteert niet dat ik anders denk dan hij.'

'Is dit mijn schuld?' vroeg Aafke zich af.

'Natuurlijk niet.' Resoluut pakte Tanja twee bekers en schonk die vol met de heerlijk geurende koffie. 'Het ligt aan hemzelf. Laten we erover ophouden, ik praat er liever niet over.'

'Je kunt je hoofd er anders niet voor in het zand steken.' Langzaam en hinkend, nu wel, kwam Aafke achter haar aan de kamer binnen. Demonstratief zuchtend legde ze haar voet weer op het krukje. 'Er zullen spijkers met koppen geslagen moeten worden. Jullie wonen samen, je bent er niet met slechts de constatering dat het uit is.'

'Hij wil dat ik dit weekend nog mijn spullen ophaal uit de flat.' Aafke knikte. 'Waarschijnlijk is dat ook het beste, dan heb je het maar meteen gehad. Je komt natuurlijk weer hier wonen.'

Tanja zweeg. Dat was het laatste wat ze wilde, maar een andere keus had ze niet. Er was niemand bij wie ze terechtkon en het was onmogelijk om binnen twee dagen eigen woonruimte te vinden. Bij haar vader hoefde ze ook niet aan te kloppen. Gezellig met hem en Claudine in één huis, dat denkbeeld was nog vele malen erger dan bij haar moeder te wonen.

'Tijdelijk,' bedong ze. 'Ik ben volwassen, het wordt tijd dat ik op eigen benen leer staan.'

'Natuurlijk.' Het klonk verdacht opgewekt. 'Totdat je deze klap hebt verwerkt en je er weer tegenaan kunt. Gezellig. Heb je hulp nodig met het ophalen van je spullen?'

'Ik zou niet weten wie,' antwoordde Tanja somber. 'Fay is weg, Judith heb ik al weken niet meer gesproken, Claudine...' Ineens stokte ze. Haar moeder wist nog steeds niets over de rol die Claudine speelde en dit was niet echt het moment om het haar te vertellen. Ze had wel even iets anders aan haar hoofd. 'Er is niemand,' eindigde ze hulpeloos.

'Laat dat maar aan mij over,' zei Aafke resoluut. 'Ik ken wel een paar stevige jongens die dat karweitje op willen knappen voor een paar euro. Als je straks met hen naar de flat gaat, hoef jij alleen maar je eigen spullen in te pakken, dan zorgen zij wel dat het hier komt. Als je me de telefoon even aangeeft, zal ik het regelen.'

Willoos deed Tanja wat ze vroeg. Eigenlijk ging het allemaal een beetje langs haar heen. Het was ook zo verwarrend allemaal. Eerst haar vader die er plotseling vandoor ging, daarna de ontdekking dat de reden voor zijn vertrek haar eigen vriendin was, haar moeder die steeds meer beslag op haar legde en nu weer Benjamin die een einde aan hun relatie maakte. Ze kon het niet meer overzien en was op dat moment alleen maar blij met de doortastende houding van haar moeder.

'Over een uur halen ze je op en rijden ze met je naar je flat,' zei Aafke na een kort telefoongesprek.

'Wie eigenlijk?' vroeg Tanja zich af.

'Twee jongens van verderop in de straat. Een tweeling, studenten die altijd wel een extra centje willen bijverdienen.'

'Ik heb geen geld. Mijn salaris stelt niet veel voor nu ik nog maar drie dagen werk, dat ging allemaal op in ons huishouden.'

'Maak je daar maar geen zorgen over. Geld heb ik genoeg. Als er iets is wat je nodig hebt, moet je het zeggen. Je oude kamer staat overigens nog leeg, als je straks je meubeltjes er weer hebt staan, is het net of je niet weg bent geweest.'

Daar was Tanja eigenlijk ook bang voor. Het voelde nu al alsof ze weer kind was, ingelijfd in het leven van haar moeder. Heel haar gevoel kwam hiertegen in opstand, ze miste op dat moment echter de fut om er iets tegen te doen. Ze was totaal lamgeslagen door alles wat haar zo plotseling overkwam. Ergens voelde ze dat er iets niet klopte, maar ze kon haar vinger er niet echt op leggen.

'Is het niet heel erg snel? Ik bedoel, we hebben nog maar amper de woorden 'het is uit' uitgesproken,' twijfelde ze. 'Misschien

moeten Benjamin en ik eerst nog een keer met elkaar praten.'
'Dat heeft geen enkel nut, daarmee maak je de situatie alleen maar onnodig pijnlijk,' beweerde Aafke. 'Zachte heelmeesters maken stinkende wonden, vergeet dat niet. Het is het beste om meteen de knoop door te hakken en vooruit te kijken.'
'Misschien heb je wel gelijk,' gaf Tanja moedeloos toe.
'Natuurlijk heb ik gelijk.' Aafke knikte triomfantelijk. 'Heb ik niet altijd al gezegd dat Benjamin niet de juiste man voor je is? Het is wel weer bewezen dat ik daar een goede kijk op heb. Ik heb hem nooit gemogen.'
'Wat je ook altijd duidelijk hebt laten merken,' kon Tanja niet nalaten op te merken.
'En terecht, zoals je nu ziet. De eerste de beste keer dat jij het niet met hem eens bent, gaat hij ervandoor.'
Tanja zei maar niet dat het niet bepaald de eerste keer was dat ze woorden hadden gehad over hetzelfde onderwerp. Ook leek het haar beter niet te vermelden wat dat onderwerp was. Ze wilde haar moeder zeker geen misplaatst schuldgevoel bezorgen, ze had het al moeilijk genoeg met haar eigen sores. Hoewel haar voortvarendheid haar een beetje tegen de borst stuitte, vond ze het toch wel heel erg lief dat haar moeder, ondanks haar eigen problemen, onmiddellijk haar partij trok en haar met alles wilde helpen. Als zij die buurjongens niet had geregeld, had Tanja echt niet geweten hoe ze haar spullen uit de flat had moeten krijgen.
Anderhalf uur later liep ze verwezen door de woning die ze maar zo kort de hare had mogen noemen. Het was heel bizar om alle spullen aan te wijzen die nog maar enkele maanden geleden hier neer waren gezet. Minutieus zocht ze alles uit wat van haar was, want ze had er geen enkele behoefte aan om hier later nog een keer terug te moeten komen. De twee buurjongens sjouwden alles naar het busje. Als laatste pakte Tanja de miniuitvoering van de flat en de kunststof box met meubeltjes en spulletjes voor de stoffering van haar poppenhuizen. Net als toen ze hierheen verhuisde, schoot het door haar heen. Ook die dag waren haar hobbyspulletjes het laatste wat in het busje verdween. Ironisch.

Terwijl de buurjongens in het busje op haar wachtten, maakte zij een laatste ronde door de flat, om ervan verzekerd te zijn dat ze niets vergeten was. Ze vroeg zich af waar Benjamin was. Het was toch moeilijk voor te stellen dat hij in zijn eentje naar de kermis was gegaan. Waarschijnlijk zat hij nu bij Jaap of Menno zijn beklag te doen. Hij zou raar opkijken als hij vanavond thuiskwam en merkte dat het halve huisraad verdwenen was. Enfin, dat was tenslotte precies wat hij gewild had.

Lang staarde ze naar het bed, waar ze die ochtend zo vrolijk uit was opgestaan, geroerd door het lieve gebaar van Benjamin. En nu, slechts enkele uren na dat kopje thee, was de combinatie 'Tanja-Benjamin' voorgoed verleden tijd. Moeilijk te bevatten. Ze begreep nu nog beter hoe haar moeder zich moest voelen, waarschijnlijk was die er honderd keer erger aan toe dan zij. Dat sterkte haar wel in haar mening dat ze goed had gehandeld. Als Benjamin werkelijk van haar verlangde dat ze zich niets aantrok van haar moeders verdriet, was hij niet de juiste partner voor haar. Dan kende hij haar niet eens.

Voor ze de deur definitief achter zich dichttrok, legde Tanja de huissleutel op de lage salontafel neer. Ze twijfelde nog of ze er een briefje bij zou leggen, besloot toen dat niet te doen. Benjamin was heel duidelijk geweest in zijn ultimatum, er viel niets meer te zeggen tussen hen, ook niet schriftelijk.

In het volgeladen busje keerden ze terug naar haar ouderlijk huis.

'Ik heb je bed al opgemaakt,' zei Aafke. 'Als jullie de spullen boven willen zetten, help ik je met uitpakken.'

'Jij moet uitkijken met die voet van je,' waarschuwde Tanja haar.

Aafke lachte zorgeloos. 'Benjamin had blijkbaar toch gelijk, er is niets wezenlijks beschadigd. De pijn is al een heel stuk minder.'

Onvermoeibaar liep ze heen en weer om haar dochter opnieuw in haar meisjeskamer te installeren. Tanja durfde het bijna niet te denken, maar de glimlach om haar moeders mond zag er verdacht triomfantelijk uit.

HOOFDSTUK 11

In een mum van tijd had Aafke haar dochter weer volledig ingelijfd in haar leven en Tanja, dociel en van slag door alle gebeurtenissen en toch al niet goed in staat zich tegen haar moeder
te verweren, liet dat willoos gebeuren. Van een zelfstandige
vrouw, samenwonend met haar vriend, werd ze weer kind in
huis. Een kind dat voortdurend rekening met haar moeder
moest houden. Aafke had duidelijke huisregels, waar Tanja
zich aan te houden had.
Ze had haar ook overgehaald haar parttime baan te behouden,
hoewel Tanja in eerste instantie had gezegd dat ze weer terug
wilde gaan naar een veertigurige werkweek.
'Doe dat nou maar niet,' zei Aafke. 'Je hebt al zoveel beslom-
meringen aan je hoofd, kom eerst eens helemaal tot rust.'
'Dat klinkt op zich best aantrekkelijk, maar financieel gezien
zal ik wel moeten. Op deze manier kan ik niet zelf in mijn
levensonderhoud voorzien.'
'Is dat nodig dan? Je woont gratis en je hoeft me ook geen kostgeld te betalen. Wat je aan salaris hebt kun je gewoon als zak-
geld gebruiken,' zei Aafke.
'Dan ben ik helemaal afhankelijk van jou,' zuchtte Tanja.
'Nou en?' Aafke trok haar wenkbrauwen hoog op. 'Je bent mijn
kind, ik vind dat niet meer dan logisch. Hou het nu maar
gewoon zo. Ik heb geld genoeg, dus dat is het probleem niet.
Met die wisseldiensten die je anders weer moet gaan draaien
wordt het zo chaotisch in huis, dan weet ik nooit wanneer je er
wel of niet bent en kom je op de onmogelijkste uren thuis.
Bovendien vind ik het wel gezellig als je wat vaker thuis bent.
We moeten elkaar maar een beetje steunen nu. Twee eenzame,
in de steek gelaten vrouwen, die samen de wereld trotseren.' Ze
lachte bij die laatste woorden. 'Klinkt wel goed, toch?'
'Ik ben niet in de steek gelaten,' zei Tanja. 'Ik heb zelf de keus
gemaakt om onze relatie te beëindigen.'
'Het resultaat is hetzelfde, we zijn allebei alleen achtergeble-
ven. Gelukkig hebben we elkaar nog,' had Aafke daarop gezegd.

Het voelde vreemd om weer thuis te wonen. Het leek wel of Tanja al haar zeggenschap over haar eigen leven was kwijtgeraakt. Aafke bepaalde wat er gegeten werd, hoe laat ze aan tafel gingen en welke boodschappen er in huis werden gehaald. Ze vertroetelde Tanja als een kleuter, iets wat die zich de eerste weken overigens genoeglijk liet aanleunen. Met het terugkomen van haar energie groeide echter ook de irritatie over deze situatie. Ze was haar privacy kwijt en het voelde niet goed om afhankelijk te moeten zijn. Gesprekken in die richting werden echter onmiddellijk afgekapt. Aafke overheerste Tanja volledig, Tanja kon daar niet tegenop. Langzaam en ongemerkt werd ze steeds meer een onmondig kind, een situatie die op een gegeven moment niet meer terug was te draaien. Het enige wat Tanja verzoende met deze situatie, was het feit dat ze haar knutselzolder weer terug had. Avonden lang bracht ze daar door met haar geliefde poppenhuizen. Tijdens de maanden die ze in de flat had gewoond had ze daar amper de kans voor gekregen, omdat Aafke iedere keer op haar nek sprong als ze een avond in het ouderlijk huis vertoefde. Nu dat niet meer nodig was, kon Tanja zich weer eens heerlijk uitleven met haar geliefde hobby. Fantaserend over een toekomst waarin ze zelf haar leven kon bepalen, richtte ze diverse droomhuizen in op een manier zoals ze dat zelf wilde. Een kleine vlucht uit de werkelijkheid die haar benauwde, maar waar ze zich niet tegen kon verweren. Soms probeerde ze het wel. Als Aafke dan echter verdrietig reageerde en een paar tranen tevoorschijn toverde, krabbelde Tanja weer haastig terug. Het laatste wat ze wilde, was haar moeder nog meer verdriet doen na alles wat die had meegemaakt. Ze had tijd nodig om daar overheen te komen. Misschien wat veel tijd, maar als ze dat punt eenmaal had bereikt, zou alles anders worden, hield Tanja zichzelf voor. Het was echter een proces dat niemand kon forceren. Dat merkte ze wel aan zichzelf. Ze miste Benjamin enorm en huilde regelmatig bittere tranen om hun breuk. Op dat soort momenten had ze alle begrip voor haar moeder en vond ze het niet erg om zoveel rekening met haar te moeten houden in het dagelijkse leven. Op een enkel berichtje na waarbij hij haar lafheid verweet, had ze niets meer van Benjamin gehoord. Eerst had ze nog de stille hoop gekoesterd dat hij op zijn woorden terug zou komen en haar terug zou halen, maar dat was ijdele hoop gebleken. Hij vond het blijkbaar wel best zo. Dat ene, niet al te vriendelijke, berichtje van hem was blijkbaar ingegeven door gekwetste trots en niet door verdriet. Het was een enorme aanslag op Tanja's zelfvertrouwen, dat toch al niet zo groot was. Daardoor trok ze zich nog verder terug in haar schulp.

Zo leidde ze dus op haar drieëntwintigste een kalm, teruggetrokken leven, zonder veel uitstapjes, zonder vrienden en zonder partner, maar wel samen met haar moeder. Langzamerhand begon ze het ook wel best te vinden zo. Haar leven verliep in ieder geval in een geruststellende regelmaat en volgens een vast patroon. Omdat ze parttime werkte had ze genoeg tijd over voor haar hobby en de tijd die daarnaast overbleef werd moeiteloos opgevuld door Aafke. Ze hoefde zich 's morgens bij het opstaan tenminste nooit af te vragen wat deze dag haar zou brengen en dat had toch ook wel iets, ontdekte Tanja. Met Benjamin, die bruiste van de energie en de levenslust, was geen dag hetzelfde verlopen.

Met Fay had ze nog maar weinig contact. Aafke bezat geen computer, dus kon ze haar niet meer mailen en vaak bellen werd haar te duur. Als ze eenmaal met haar vriendin aan de telefoon zat, kletsten ze zo anderhalf, twee uur vol en dat werd nu te kostbaar. In plaats daarvan waren ze begonnen met elkaar te schrijven. Een leuk tijdverdrijf, maar toch totaal anders dan een gesprek, ontdekte Tanja. Op deze manier duurde het weken voor ze respons kreeg als ze op het papier haar hart had uitgestort. Situaties die ze beschreef en waar Fay dan later op reageerde, waren vaak allang vergeten of totaal anders op het moment dat haar antwoordbrief op de deurmat viel. Zo kwam ook de klad in deze correspondentie. En ach, zoveel maakte dat ook niet uit. Tanja had toch weinig te melden. Fay kon vellen vol schrijven over haar belevenissen in Spanje, maar Tanja kreeg slechts met veel moeite en hele grote letters één postvelletje beschreven. Ze maakte veel te weinig mee om een levendige briefwisseling op gang te houden. Veel verder dan de zinnen 'hoe gaat het met jou?' en 'met mij gaat het goed' kwam ze niet.

Judith had ze sinds de breuk met Benjamin één keer vluchtig gesproken toen ze haar tegen was gekomen op straat. Ze hadden slechts wat algemeenheden uitgewisseld voordat Judith zich weer uit de voeten maakte omdat ze een belangrijke afspraak had, zoals ze zelf zei. Van Claudine en haar vader had Tanja helemaal niets meer vernomen. Iets wat haar overigens niet slecht uitkwam. Ze had haar moeder nog steeds niets verteld over die affaire en hoe minder contact er was, hoe minder kans dat Aafke erachter kwam, hoewel het toch wel eens tijd werd dat ze open kaart speelde. Er leek alleen nooit de juiste gelegenheid voor te zijn, zodat Tanja het uit bleef stellen.

Op een avond kwam die gelegenheid ineens als vanzelf.

'Heb jij eigenlijk contact met je vader?' vroeg Aafke ineens. Ze hadden net gegeten en zaten nu met koffie voor de tv, waar via het journaal al het wereldleed de huiskamer in werd geslingerd.

'Nee, al een tijdje niet,' antwoordde Tanja naar waarheid.

'Komt dat door jou of heeft hij het zo druk met zijn nieuwe liefje dat hij geen tijd meer voor je heeft?'

Tanja aarzelde even met een antwoord. 'Van beide een beetje, denk ik. Ik heb er geen behoefte aan om met zijn nieuwe vriendin te worden geconfronteerd en afspreken in een café of zo vind ik zo armoedig. Hij doet er ook niet veel moeite voor. Ons laatste telefoongesprek heb ik afgekapt en op het berichtje dat hij daarna stuurde heb ik niet gereageerd. Sindsdien heeft hij niets meer van zich laten horen. Hij weet nog niet eens dat Benjamin en ik uit elkaar zijn.'

'Vind je dat erg?' vroeg Aafke verder.

Tanja schokschouderde. 'Laat maar zo,' mompelde ze.

'Ben jij dan niet nieuwsgierig naar de vrouw voor wie hij mij in de steek heeft gelaten?' Vorsend keek Aafke haar aan. 'Ik zou eigenlijk wel eens wat meer van haar willen weten, maar zelf kan ik hem moeilijk bellen om daarnaar te informeren.'

'Bedoel je te zeggen dat ik contact op moet nemen en haar moet leren kennen, zodat ik jou kan vertellen wat voor type het is?'

'Dat klinkt wel heel berekenend, maar als jij haar toch wilt ontmoeten, wil ik naderhand wel een verslag, ja. Het algemene beeld dat er heerst is toch dat de nieuwe vrouw jonger en knapper is, ik vraag me af of dat in dit geval ook geldt.'

Onwillekeurig schoot Tanja in de lach. Een wrang, cynisch lachje. 'Dat kun je wel zeggen, ja,' flapte ze eruit.

Aafke ging meteen overeind zitten. 'Je kent haar al,' zei ze beschuldigend. 'Heb je achter mijn rug om contact met haar gehad?'

'Ik ben er toevallig achter gekomen wie het is.' Tanja haalde diep adem. Het moment van de waarheid was dus aangebroken, daar kon ze nu niet meer omheen. 'Je zult hier niet blij mee zijn, mam.'

'Alsof ik sowieso nog ergens blij mee kan zijn,' reageerde Aafke bitter. 'Ken ik haar? Volgens je vader niet.'

'Pa heeft wel meer dingen gezegd die achteraf niet bleken te kloppen. Zijn nieuwe vriendin is Claudine.' Ze beet op haar lip en keek schuw naar haar moeder, bang voor hoe ze dit op zou vatten. Na het mes dat in haar rug was gestoken, moest dit aanvoelen alsof datzelfde mes ook nog eens een paar keer werd omgedraaid.

'Claudine?' echode Aafke. Haar ogen werden groot. 'Je bedoelt jouw vriendin Claudine?'

'Ex-vriendin,' verbeterde Tanja haar op droge toon. 'Die vriendschap is voorgoed over.'

'Weet je dat heel zeker?'

'Ik betrapte hem bij haar thuis, nadat Claudine alle mogelijke moeite had gedaan om me buiten de deur te houden.'

'Maar zij… Ze is van jouw leeftijd!'

'Nog iets jonger zelfs. Maar ach, je kent het gezegde, hè? Een oude bok…'

'Niet te geloven.' Aafke schudde haar hoofd. 'Dan denk je iemand te kennen na zoveel jaren huwelijk.' Ze leek totaal verbijsterd.

'Het spijt me dat je dit van mij moest horen,' zei Tanja zacht. 'Eerlijk gezegd weet ik het al een tijdje, maar ik wist niet hoe ik het je moest vertellen. Ik had het je graag bespaard.'

'Dit is jouw schuld niet. Het geeft in ieder geval wel aan dat niemand meer te vertrouwen is. Jij bent net zo goed bedrogen als ik. Ik door mijn echtgenoot, jij door je vriendin,' reageerde Aafke bitter. 'Gelukkig hebben wij elkaar nog, dat scheelt. Jij bent de enige die me begrijpt en die me steunt, terwijl de rest van de wereld me heeft laten vallen. Ik hoop dat ik net zoveel voor jou beteken als jij voor mij. Van anderen hoeven we het niet te hebben, dat blijkt wel weer. Die laten het afweten als het moeilijk wordt, maar wij steunen elkaar tenminste.'

Tanja zweeg. Ze wist niet goed wat ze hierop terug moest zeggen. Eigenlijk voelden deze woorden van haar moeder aan als een loodzware last. Ze waren moeder en dochter, dus het was vanzelfsprekend dat ze voor elkaar klaarstonden en elkaar door zware tijden heen hielpen, maar Aafke liet het klinken alsof ze niemand anders meer nodig hadden en dat benauwde haar. Zij zou graag wat nieuwe vriendschappen willen sluiten, maar Aafke claimde haar zo erg dat ze daar geen kans voor zag. Haar moeder had helemaal geen behoefte aan andere contacten. Ze ondernam niets op dat gebied en weerde suggesties van Tanja in die richting altijd af. Als gevolg daarvan was ze eenzaam en voelde Tanja zich verplicht haar vrije tijd met haar door te brengen. Een vicieuze cirkel die niet te doorbreken leek. Ze stopte er ook geen energie meer in om deze situatie te veranderen, een enkele lafhartige poging daargelaten. Ze liet zich volledig ondersneeuwen door haar moeder.

'Weet je wat wij moeten doen?' Aafke veerde ineens overeind, met een brede lach op haar gezicht. 'Wij gaan een auto kopen! Dan kunnen we veel makkelijker overal heen. Weekendjes weg of zo. Jij hebt je rijbewijs.'

'Ik weet niet of ik nog wel durf te rijden,' stribbelde Tanja tegen. Ze zag de bui al helemaal hangen. Met een auto voor de deur zou zij iedere keer verplicht zijn haar moeder ergens heen te brengen of op te halen, zeker als die bewuste auto door Aafke betaald was. Ze zocht dan ook naarstig naar excuses om dit plan te verijdelen. 'Die oude auto van Benjamin heeft de geest gegeven toen we amper een week samenwoonden en sindsdien heb ik niet meer achter het stuur gezeten. Daarvóór trouwens ook haast niet, want ik mocht nooit rijden van hem. Hij vond het vervelend om naast een vrouwelijke chauffeur te zitten.'

'Typisch iets voor een man,' zei Aafke afkeurend. 'Enfin, dat probleem is simpelweg op te lossen door een paar rijlessen, zodat je je weer zeker voelt in het verkeer.'

'Ik hou helemaal niet van autorijden.'

'Onzin. Een rijbewijs en een auto voor de deur zorgen voor heel veel vrijheid. Ik vind het nog altijd jammer dat ik nooit lessen heb genomen, dat zou me nu goed van pas gekomen zijn.'

'Een mens is nooit te oud om te leren,' haakte Tanja daarop in. 'Waarom begin je er niet mee? Er zijn zat mensen die op latere leeftijd hun rijbewijs nog halen, je zou echt de enige niet zijn.'

'Misschien wel, maar daar gaan we nu niet op wachten. Zaterdag gaan we naar een dealer en zoeken we een leuk wagentje uit,' besloot Aafke. De klank in haar stem maakte Tanja duidelijk dat ze geen tegenspraak duldde.

'Een auto is duur,' deed ze toch nog een poging om eronderuit te komen.

Aafke wees dat bezwaar echter lachend van de hand. 'Je weet best dat geld voor mij geen probleem is. Maak je geen zorgen schat, alle kosten van die auto komen geheel voor mijn rekening.'

Dat was nu net waar ze zo bang voor was, dacht Tanja somber bij zichzelf. Wie betaalt, bepaalt. Zij zou weinig zeggenschap over de auto krijgen, maar wel altijd beschikbaar moeten zijn als chauffeur.

'Dankzij mij heb jij een auto, het minste wat je kunt doen is me even naar de dokter rijden.' Ze hoorde dit haar moeder gewoon zeggen en er was niets wat ze daartegenin kon brengen. Op deze manier zou haar moeder nog meer beslag op haar tijd leggen. Hoewel, meer dan nu al het geval was kon bijna niet, dacht ze toen alweer berustend. Als ze niet aan het werk was, zat ze thuis bij Aafke. Misschien was een autootje dan inderdaad wel handig, dan konden ze in ieder geval eens weg in de weekenden. Met het openbaar vervoer was het vaak zo'n toer om ergens te komen dat de lol je bij voorbaat verging.

'Waarschijnlijk heb je gelijk,' gaf ze dus toe.

'Natuurlijk. Zeker nu met de winter zal het heel praktisch zijn. Je weet dat ik niet vaak wegga, maar voor doktersbezoeken en zware boodschappen is het wel een uitkomst. En wat ik net al zei, we kunnen dan eens een weekendje weg. We stappen dan op vrijdagavond in als jij uit je werk komt en komen op maandag op ons gemak weer terug, zonder dat we rekening hoeven houden met de tijden van de treinen of ons druk hoeven maken om waar we over moeten stappen,' zei Aafke tevreden. 'Straks met Kerstmis, vind je dat geen goed idee? Dan boeken we een leuk hotel.'

'Zou je dat werkelijk willen? Je vindt Kerstmis zo'n typisch huiselijk feest, zeg je altijd.'

Aafkes mond kromp samen tot een rechte streep. 'Voordat mijn gezin in duigen viel, ja. Waarom zouden we ons dit jaar met zijn tweeën opsluiten in huis? Er is niemand die ik uit zou willen nodigen en volgens mij geldt dat voor jou ook.'

'Ik weet niet,' aarzelde Tanja. Vroeger had ze dolgraag de kerstdagen eens buitenshuis willen vieren, maar haar ouders hadden daar nooit iets van willen weten. Met kerst hoorde je thuis, was de algemene stelregel geweest. Dit zou de eerste kerst zijn geweest dat ze niet meer thuis woonde en ze had zich erop verheugd deze dagen eens heel anders door te brengen dan ze gewend was, zonder de verplichtingen die haar van jongs af aan waren opgelegd. Aafke informeerde echter niet eens naar haar plannen, die walste zoals gewoonlijk overal overheen. Voor haar was het een uitgemaakte zaak dat ze de feestdagen samen door zouden brengen. Maar ach, als ze niet ergens naar een hotel gingen, zat ze waarschijnlijk de hele kerst thuis te vegeteren, ze had nu eenmaal geen vrienden met wie ze die dagen door zou willen brengen. Haar agenda barstte niet bepaald van de afspraken. Op zich leek het haar wel wat om die dagen in een hotel door te brengen, alleen dan liever met een groep vrienden en niet met haar moeder. Het zag er echter naar uit dat ze ook die dagen aan haar vast zou zitten, of ze dat nu wilde of niet.

'Het zal je goeddoen om er een paar dagen tussenuit te zijn,' zei

Aafke onverwachts hartelijk. 'Mij ook trouwens. Ik ben zo blij dat jij er bent, anders waren de kerstdagen vast niet om door te komen geweest. Het wordt mijn eerste kerst zonder je vader.' Ze beet op haar lip en wendde haar blik af.

Tanja's hart stroomde alweer vol met medelijden bij die aanblik. Haar moeder hield zich flink, maar natuurlijk zag ze tegen de komende feestdagen op, dat kon niet anders. Wellicht was het inderdaad het beste om die periode lekker met vakantie te gaan, hier thuis zouden overal de herinneringen aan vroeger jaren op de loer liggen.

'We gaan dus lekker samen op stap,' zei ze vrolijker dan ze zich voelde. 'Lekker uit de sleur van alledag. We gaan er een fijne kerst van maken, mam, reken daar maar op.'

Aafke glimlachte door haar tranen heen. 'Je vader mag dan een nieuw, jong vriendinnetje hebben, maar ik ben beter af,' zei ze terwijl ze in Tanja's hand kneep. 'Ik heb jou.'

HOOFDSTUK 12

Met Aafkes gebruikelijke voortvarendheid stond er een week later inderdaad een auto voor de deur en nu het eenmaal een feit was, vond Tanja het toch wel leuk. Na een aantal lessen onder leiding van een geduldige instructeur voelde ze zich weer zeker genoeg om de weg op te gaan. Zo'n auto gaf inderdaad veel vrijheid, ontdekte ze al snel. Ze kon instappen en wegrijden wanneer ze wilde, zonder rekening te hoeven houden met de tijden van het openbaar vervoer en zonder doornat te worden op de fiets. Ze was nu een stuk sneller op haar werk, wat haar 's ochtends de gelegenheid gaf een kwartiertje langer in bed te blijven liggen. Voor een langslaper als Tanja was dat zeker geen straf. De nadelen, te pas en te onpas klaar moeten staan om haar moeder ergens heen te brengen, nam ze daarbij graag voor lief.

Ook had Aafke een hotel geboekt voor de feestdagen. Eerst leek dat niet te lukken, omdat alles al vol was, maar dankzij een annulering lukte het toch om vier dagen te bespreken in een klein familiehotel aan de kust, dat een speciaal feestarrangement had samengesteld voor hun gasten.

De dag voor kerst reed Tanja daar met gemengde gevoelens naartoe. Ze was niet echt in een feeststemming dit jaar en het feit dat zij op haar vierentwintigste met haar moeder de kerstdagen door moest brengen in een oubollig hotel, maakte dat er niet beter op. Op haar leeftijd zou ze met een groep vrienden ergens een uitbundig feest moeten hebben. Helaas was die groep vrienden ver te zoeken. Ze vreesde dat het hotel bevolkt zou zijn met bejaarde mensen, die hun huizen ontvlucht waren omdat hun kinderen toch niet langskwamen met de kerst.

Het bewuste hotel bleek echter een verrassing voor haar. Met zijn witgeverfde voorgevel zag het er uitnodigend uit en eenmaal binnen bleken er verrassend veel jongeren te zijn. De grote hal, waar de receptie in gevestigd was, zat vol mensen en de meesten daarvan waren rond de dertig, constateerde Tanja met een snelle blik om zich heen. Ze voelde zich meteen een stuk beter. Misschien werd dit toch niet zo'n ramp als ze zich voorgesteld had. Ze lachte naar een man die haar een knipoog zond. Aafke keek met een afkeurende blik om zich heen.

'Hm, dit is toch niet helemaal wat ik verwacht had,' merkte ze op. 'Ik had gehoopt op iets rustigers.'

'Wij staan min of meer bekend als een jongerenhotel, vanwege onze vele activiteiten,' zei de receptioniste vriendelijk.

'Als ik dat had geweten was ik niet gekomen.' Aafkes mond vertrok tot een smalle streep, een bekend verschijnsel voor Tanja. 'Er zullen ongetwijfeld ook wel mensen van jouw leeftijd zijn,' zei ze snel. Ze kende haar moeder en wist dat die er zeker niet voor zou terugdeinzen om haar reservering ongedaan te maken, juist nu zij er zin in begon te krijgen.

De receptioniste knikte. 'Met de feestdagen is ons publiek altijd wat meer gemengd,' bevestigde ze. Ze gaf hun de sleutel van de kamer en wenste hun een prettig verblijf.

'Dat zal best lukken,' zei Tanja hartelijk. Ze negeerde het minachtende gesnuif van Aafke.

'Misschien was dit toch niet zo'n goed idee,' zei die op hun kamer. Ze keek spiedend om zich heen, maar zelfs zij kon met haar scherpe blik geen ongerechtigheden vinden. De kamer was ruim, netjes ingericht en zeer schoon.

'Het lijkt mij juist erg leuk,' weerlegde Tanja dat opgewekt. Snel begon ze haar koffer uit te pakken, ze kon haast niet wachten om het hotel verder te verkennen. 'En er is genoeg te doen. Er is een zwembad, een danszaal en ze organiseren diverse activiteiten. Ook bridge en bingo,' las ze op het formulier dat op het tafeltje lag.

'Ik ben nog niet bejaard,' mopperde Aafke.

'In dat geval ga je vanavond gezellig naar de discoavond in de kelder,' stelde Tanja lachend voor. 'Kop op, mam. We gingen er leuke dagen van maken, weet je nog?'

'Als jij van plan bent al die activiteiten voor jongeren af te lopen, zit ik in mijn eentje. Dan had ik beter thuis kunnen blijven,' zei Aafke zuur.

'Ik laat je heus niet vier dagen alleen zitten, dat weet je best,' reageerde Tanja daar korzelig op. Had ze die moed maar, dacht ze bij zichzelf. Met alles wat hier te doen was zou ze zich prima kunnen vermaken, mits ze haar moeder niet als een blok aan haar been bij haar had. Haar eerste opwinding, die de kop op had gestoken na het betreden van het hotel, begon alweer te zakken. De kans was helemaal niet denkbeeldig dat zij de diverse activiteiten alleen maar van de zijlijn kon bekijken, terwijl Aafke naast haar zat te klagen. Hoe deden andere jongeren dat toch? Ze kende verder niemand die in dezelfde positie zat als zij, iedereen leek zich altijd moeiteloos te ontworstelen aan het ouderlijk juk. Lag dat aan Aafke of toch aan haarzelf? Was haar moeder te dominant of zij te toegeeflijk?

'Kom, we gaan koffiedrinken beneden,' stelde ze voor. Ze wilde hier niet verder over nadenken. Nadenken betekende conclusies trekken en als ze dat eenmaal deed moest ze ook de gevolgen onder ogen zien. Ze kon alles beter laten zoals het was, dat gaf veel minder complicaties.

Tot haar opluchting zaten er in het restaurant, waar ze verse koffie met heerlijk gebak geserveerd kregen, meerdere mensen van haar moeders leeftijd. Aan een tafeltje in de hoek zat een echtpaar van middelbare leeftijd en twee tafels bij hen vandaan zaten drie vrouwen van rond de vijftig. Ze speelden een kaartspelletje en leken het prima naar hun zin te hebben. Tanja zou er heel wat voor overhebben als ze Aafke aan die vrouwen kon koppelen, zodat ze zelf wat meer haar eigen gang kon gaan.

'Kijk, daar zitten ze te jokeren,' zei ze nonchalant en wat luider dan gewoonlijk. 'Dat doe jij ook zo graag.'

'Het is jammer dat jij er niet van houdt. Misschien hebben ze hier ook wel bordspellen, dan kunnen we samen iets leuks doen,' stelde Aafke voor.

Eén van de vrouwen keek op van haar kaarten. 'Heeft u geen zin om met ons mee te spelen?' vroeg ze, precies zoals Tanja gehoopt had. 'Met zijn vieren jokeren is leuker dan met zijn drieën.'

'Ik wilde net iets met mijn dochter gaan doen,' antwoordde Aafke afwijzend.

'Die amuseert zich vast ook wel zonder u,' zei de vrouw. Ongezien voor Aafke zond ze Tanja een knipoog en die keek dankbaar terug.

'Doe het maar, mam,' animeerde ze haar. 'Je hoeft je niet verplicht te voelen om mij voortdurend gezelschap te houden.' Stiekem moest ze lachen om deze verdraaiing van de feiten. 'Dan ga ik het hotel verkennen en misschien even zwemmen.' Zonder ronduit onbeleefd te worden kon Aafke niet weigeren, maar erg vrolijk keek ze niet toen ze plaatsnam aan de andere tafel. Voor de vorm bleef Tanja er nog een paar minuten bij zitten voor ze opstond.

In de hal was het nog steeds gezellig druk. Er stond een aantal grote loungebanken gegroepeerd om een stenen tafel, naast een enorme kerstboom. Een groep van ongeveer tien mensen, mannen en vrouwen, zat daar luidkeels te kletsen, onder het genot van een drankje. Op de tafel stond een schaal bitterballen. Eén van de mannen pakte die schaal op en ging ermee rond. Net toen hij hem weer terug wilde zetten viel zijn oog op Tanja.

'Ook een bitterbal?' vroeg hij, haar uitnodigend de schaal voorhoudend. 'Ze zijn erg lekker,' voegde hij er jongensachtig aan toe.

'Dat moet ik dan maar uitproberen,' lachte ze. Ze pakte een bitterbal van de schaal en nam voorzichtig een hap, beducht op de hete ragoutvulling.

'Ben jij ook de verplichtingen thuis ontvlucht om een paar dagen te feesten?' informeerde de man.

'Zoiets, ja. Ik ben hier samen met mijn moeder,' vertelde ze.

Hij trok zijn wenkbrauwen hoog op. 'Met je moeder? Wat apart. Dat hoor je niet vaak.'

'Het is een lang verhaal,' zei Tanja.

'Dat moet je me dan maar eens vertellen, maar niet nu.' Hij maakte een armgebaar naar de bank. 'Kom er gezellig bij zitten. Wil je iets drinken?'

'Een bitter lemon graag,' antwoordde ze verlegen. Deze ongedwongen omgang met leeftijdsgenoten was haar volkomen vreemd. Onwennig keek ze om zich heen terwijl hij het gevraagde drankje voor haar ging halen.

'Hé, een nieuweling,' ontdekte een van de anderen, een jonge, blonde vrouw. Ze schoof iets op, zodat ze naast Tanja kwam te zitten. 'Ik ben Paulien.'

'Tanja Noordeloos. Horen jullie allemaal bij elkaar?' vroeg Tanja, kijkend naar de groep.

Paulien knikte bevestigend. 'Klopt. Er zitten drie stelletjes tussen, de rest is loslopend vee. We zijn allemaal lid van dezelfde volleybalvereniging en zijn gezamenlijk de kerstellende thuis ontvlucht. We blijven hier tot twee januari. En jij?' Vragend keek Paulien haar aan.

'Wij blijven maar vier dagen,' zei Tanja op haar beurt. 'Ik ben hier samen met mijn moeder.'

'Kan ook gezellig zijn,' meende Paulien. 'Mijn moeder is met haar nieuwe vriend op wintersport, dus daar hoefde ik niet voor thuis te blijven. De meesten van ons willen dat trouwens ook niet. Kerstmis is niet overal het feest van de vrede en de gezelligheid, maar hier hebben we enorm veel lol.'

'Dit is eigenlijk voor het eerst dat ik de feestdagen niet in mijn ouderlijk huis doorbreng,' bekende Tanja.

'Dan ben je hier aan het goede adres. In dit hotel maken ze er tenminste echt een feest van. Wij zijn hier al voor het derde jaar, het is inmiddels traditie geworden.'

'Hm, dat is een traditie waar ik ook wel aan zou kunnen wennen,' lachte Tanja. Ze nam dankbaar het drankje aan dat de man van daarnet haar overhandigde. Hij nam plaats aan de andere kant van haar. Terwijl hij vooroverboog om zijn eigen glas van tafel te pakken, wreef zijn dijbeen langs het hare. Ze voelde de ruwe stof van zijn spijkerbroek door haar dunne jurk heen. De haartjes op haar onderarm gingen meteen recht overeind staan.

'Je bent al in beslag genomen door Paulien, zie ik,' zei hij lachend. 'Kijk maar uit voor haar, het is net een bulldozer. Voor je het weet heeft ze je al je geheimen ontfutseld.'

'Dan is ze bij mij snel klaar, ik ben geen mysterieus type.'

'Ik weet in ieder geval al dat ze Tanja Noordeloos heet en hier samen met haar moeder is,' deelde Paulien mee.

'Dat wist ik allang, je wordt traag,' pestte hij. 'Ik ben trouwens Jos Koolwijk.'

'Voluit heet hij Jodocus,' nam Paulien wraak. 'Dat durft hij er nooit bij te zeggen.'

'Nee, vind je het gek,' gromde Jos.

'Ik kan me daar wel iets bij voorstellen, ja,' knikte Tanja. 'Ouders kunnen de gekste namen verzinnen voor hun kinderen. Zelf werd ik vroeger trouwens altijd Tanja Hopeloos genoemd.'

'Kijk, jij bent een vrouw naar mijn hart,' prees Jos. 'Ik vind dat wij samen vanavond maar moeten dansen. Er wordt een zeventigerjaren disco georganiseerd in het souterrain. Je komt toch ook?'

'Misschien,' hield Tanja nog even een slag om de arm.

'Moet je soms eerst toestemming aan je moeder vragen?' vroeg Jos plagend. Hoewel het een grapje was, verrieden zijn ogen dat hij precies wist waar de schoen wrong.

Er kroop een vuurrode blos langs Tanja's wangen omhoog. 'Ik ben hier nu eenmaal met haar samen. Het zou niet fair zijn als ik van alles in mijn eentje onderneem en haar aan haar lot overlaat,' zei ze verontschuldigend.

'Wij zijn er in ieder geval, dan merken we wel of jij ook komt.' Tanja dronk haar glas leeg en stond op. 'Bedankt voor het drankje en misschien tot vanavond dan.'

'Oké.' Hij stak zijn hand op bij wijze van groet en wendde zich tot een man naast hem.

Vreemd teleurgesteld liep Tanja weg. Ze had gehoopt dat hij wat meer moeite zou doen om haar over te halen, maar het leek Jos weinig te kunnen schelen of ze die avond wel of niet op kwam dagen. Ze wilde dolgraag, maar had wel gemeend wat ze net tegen hem zei. Ze kon het niet maken om Aafke de hele vakantie alleen te laten zitten. Dat wilde ze trouwens ook niet. Dit was voor hen allebei, maar vooral voor haar moeder, een beladen, moeilijke Kerst. Het minste wat zij kon doen was zorgen dat haar moeder het een beetje naar haar zin had en dat zou niet lukken als ze alleen haar eigen plan trok zonder rekening met haar te houden. Aan de andere kant was ze hier ook voor haar eigen plezier. Misschien kon ze wat later op de avond een uurtje gaan, overwoog ze.

Aafke had het die middag in ieder geval naar haar zin gehad, zag Tanja nadat ze op haar gemak de rest van het hotel verkend had. Ze zat nog steeds bij de andere drie vrouwen aan tafel. De kaarten waren inmiddels vervangen door glazen likeur.

'Kom erbij zitten,' noodde een van de vrouwen toen ze haar in het oog kreeg. Ze trok er een stoel bij en wenkte de serveerster voor nog een rondje. 'We hebben lekker zitten kaarten. Ik vrees dat we de komende dagen vaker beslag op je moeder gaan leggen, als jij dat niet erg vindt.'

'Als jij het maar naar je zin hebt,' zei Tanja tegen Aafke. Haar stem klonk waarschijnlijk gretiger dan ze wilde. Dit was een ontwikkeling die ze zeker toejuichte.

'We zijn hier natuurlijk wel samen,' reageerde Aafke meteen. 'Zullen we zo naar onze kamer gaan om ons klaar te maken voor het diner? We kunnen vanaf zes uur in de eetzaal terecht, heb ik begrepen.'

'Ga jij nog iets leuks doen vanavond?' vroeg de vrouw van daarnet nu aan Tanja. Ze was waarschijnlijk iets ouder dan Aafke en had een lief gezicht onder een prachtig, zilvergrijs kapsel.

'Tanja en ik gaan vanavond naar de bingo,' antwoordde Aafke in haar plaats.

Op dat moment kwam Jos het restaurant binnen. Na een zoekende blik om zich heen stevende hij recht op hun tafel af.

'Hé Tanja,' zei hij, alsof ze oude vrienden waren. Beleefd schudde hij de handen van de vier oudere vrouwen. 'U moet Tanja's moeder zijn,' zei hij tegen Aafke. 'Dat zie je meteen. Ze heeft haar knappe uiterlijk niet van een vreemde.'

Aafke lachte gevleid. 'Dank je wel, jongeman. Ik begrijp dat je mijn dochter kent?'

'We hebben elkaar vanmiddag ontmoet in de hal. Eigenlijk ben ik hier om u te vragen of ik Tanja vanavond mee mag nemen naar de disco in het souterrain. Ze wilde u niet alleen laten, zei ze, maar ik kan me niet voorstellen dat u, als moeder, haar geen pleziertje gunt.' Hij lachte ontwapenend naar Aafke, die duidelijk van haar stuk was gebracht door deze benadering.

'Eh, nee. Natuurlijk niet,' mompelde ze.

'Zie je wel?' zei Jos tegen Tanja. 'Ik zei toch dat je moeder het vast niet erg zou vinden? Bovendien zit u zo te zien niet echt alleen, u heeft heel charmant gezelschap.' Hij knikte naar de andere vrouwen.

'Zo is het maar net,' beaamde een van hen. 'Wij willen ook naar

116

de bingo gaan, dus dan ga je gezellig met ons mee, Aafke. Laat de jeugd maar dansen, dat is toch niets voor ons. Jong hoort bij jong en oud hoort bij oud, zeg ik altijd maar.'

'Je gaat dus met mij mee,' zei Jos op een toon die geen tegenspraak duldde. Hij knipoogde naar Tanja, die steeds meer plezier in deze situatie begon te krijgen. Hij wist wel perfect hoe hij haar moeder aan moest pakken, daar kon zij nog iets van leren. 'Zal ik je bij je kamer komen halen of kom je liever zelf naar de zaal toe?'

'Ik weet niet waar die zaal is,' antwoordde Tanja.

Meteen strekte hij zijn hand naar haar uit en hielp hij haar overeind van haar stoel. 'Als je met me meeloopt, kan ik je dat wel even laten zien.'

Na een charmant afscheid van de vier oudere dames leidde hij Tanja aan haar elleboog mee het restaurant uit.

'Zo, hoe vond je dit staaltje toneelspel?' lachte hij in de hal. 'Ben ik geslaagd of niet?'

'Je was geweldig. Ik wist niet wat ik zag en hoorde,' bekende Tanja. 'Hoe wist jij trouwens welke van deze vrouwen mijn moeder is? We lijken absoluut niet op elkaar.'

'Ik heb jullie vanmiddag samen binnen zien komen,' antwoordde hij onverstoorbaar, maar met pretlichtjes in zijn ogen.

'Dank je wel,' zei Tanja nu ernstig. 'Ik vind het heel lief dat je deze moeite genomen hebt. Eigenlijk was ik bang dat jij dacht dat ik een smoesje verzon om onder je uitnodiging uit te komen.'

'Ik zag aan je dat je er graag op in wilde gaan, vandaar mijn reddingsactie,' verklaarde Jos eenvoudig. 'Al blijft het natuurlijk belachelijk dat dit ervoor nodig is om een vrouw van jouw leeftijd onder het juk van haar moeder vandaan te halen. Er zit een verhaal achter, zei je. Wil je me dat verhaal niet vertellen?'

Hij wees haar naar een gezellig zitje in de serre en als vanzelfsprekend gingen ze daar naast elkaar zitten.

'Het is niet spectaculair wat ik te vertellen heb, eerder erg cliché,' begon Tanja wrang. 'Mijn vader is er enige tijd geleden vandoor gegaan met een jongere vrouw. Een zeer jonge vrouw,

117

mag ik wel zeggen, namelijk een van mijn beste vriendinnen. Je kunt denkelijk wel begrijpen hoe hard deze klap voor mijn moeder geweest is. Ze was helemaal kapot van verdriet, vooral omdat het zo onverwachts kwam.'

Jos knikte nadenkend. 'Jij voelt je nu verantwoordelijk voor je moeder,' merkte hij op. 'Misschien logisch, maar niet erg reëel, als ik eerlijk ben. Ze moet zelf haar leven in eigen hand nemen, zonder op jou te leunen. Wat ik uit dit verhaal begrijp, is dat jij nog thuis woonde toen het gebeurde en dat jij dus automatisch de rol van haar behoedster op je hebt genomen.'

'Niet helemaal. Ik woonde sinds kort samen met mijn vriend. Omdat mijn moeder in die eerste weken veel steun nodig had is hij afgehaakt. Sindsdien woon ik weer bij haar. Dat was de meest logische oplossing nadat Benjamin me min of meer uit de flat had gezet.'

'Arme jij,' zei Jos medelijdend. 'Maar een geluk voor mij, anders had ik je nooit ontmoet,' voegde hij daar meteen vrolijk aan toe.

'Jij bent dus niet iemand die onmiddellijk op de vlucht slaat omdat mijn moeder aan mijn benen hangt?' lachte Tanja.

'Absoluut niet. Ik begrijp volkomen dat je rekening met haar wilt houden, je moet er alleen voor oppassen dat je het niet overdrijft. Ze mag jouw leven niet overnemen, iets wat sluipenderwijs makkelijk kan gebeuren,' waarschuwde Jos.

Tanja verzweeg dat dit eigenlijk allang gebeurd was. Ze wilde hem niet alsnog kopschuw maken, want ze mocht deze Jos al vanaf het eerste moment heel erg graag.

'In ieder geval ben je vanavond vrij,' zei hij.

'Dankzij die andere drie vrouwen. Ik had haar anders echt niet alleen gelaten,' zei Tanja eerlijk.

'In dit geval begrijp ik dat, maar waarschijnlijk wil ik in de toekomst nog veel vaker met je uit en dan laat ik me echt niet weerhouden door jouw moeder,' zei Jos speels terwijl hij even haar hand drukte. Hun ogen vonden elkaar en het werd Tanja warm om het hart. Dit weekend overtrof tot nu toe haar stoutste verwachtingen, dat was zeker. En dan te bedenken dat ze eigenlijk liever thuis was gebleven!

'Wat spreken we af? Om negen uur bij de ingang van de zaal?' vroeg Jos nu.

'Zou kunnen.' Tanja knikte. 'Alleen weet ik nog steeds niet waar die zaal is. Het begint erop te lijken dat jij me onder valse voorwendsels van die tafel weg hebt gelokt.'

'Dat klopt helemaal,' zei Jos tevreden terwijl hij zijn arm om haar schouder legde.

HOOFDSTUK 13

De keiharde muziek en de felle, gekleurde lichten die aan en uit flitsten, overweldigden Tanja die avond. Ze was geen uitgaanstype en hield hier eigenlijk niet zo van, hoewel ze wel altijd dol was geweest op dansen. Het gezelschap van Jos en zijn vriendengroep maakte echter alles goed. Tanja werd zonder meer in hun clubje opgenomen en daar genoot ze buitensporig van. De kerstdagen, waar ze zo tegenop had gezien, beloofden op deze manier heel mooi te worden. In ieder geval veel beter dan ze had durven hopen.

'Je danst goed,' complimenteerde Jos haar. Hij moest deze woorden zowat in haar oor schreeuwen, want met dit muziekvolume was een normaal gesprek niet mogelijk.

Tanja lachte dus alleen maar als antwoord. Haar wangen waren rood en haar ogen glansden. Ze was zich er zelf niet eens van bewust hoe stralend ze naar Jos opkeek.

Paulien, gezeten aan de bar, zag het wel. Ze stootte haar vriendin Mandy aan en knikte veelbetekenend in hun richting.

'Onze Jodocus is totaal verloren,' zei ze. 'En zo te zien is het wederzijds.'

'Fijn voor hem,' meende Mandy laconiek. 'Al kan ik me een romantischer eerste date voorstellen dan in deze herrie.'

Het werd een gezellige avond, zeker voor Tanja, die heel weinig gewend was op dit gebied. Twee professionele dansers leerden de aanwezigen bekende discodansen uit films, wat een hilarisch beeld opleverde. Tanja deed overal vol overgave aan mee. Ze waren hier pas die middag aangekomen, maar haar vakantie kon nu al niet meer stuk. De ongedwongen manier waarop de groep mensen met elkaar omging was haar vreemd, maar ze leerde snel en deed algauw mee met de kwinkslagen die over en weer vlogen. Dit was iets heel anders dan de uitgaansavonden die ze met Benjamin en zijn vrienden had gehad. Hier voelde ze zich deel van de groep, wat bij Benjamins vrienden nooit gelukt was. Daar was ze altijd het buitenbeentje geweest.

'Ik heb een fantastische avond gehad,' zei ze dan ook na afloop. Jos liep met haar mee door de inmiddels stille gangen van het hotel, hij had erop gestaan haar naar haar kamer te brengen.

'De eerste van vele,' beloofde hij haar terwijl hij losjes zijn hand om haar schouder heen legde en haar even licht tegen zich aan drukte.

'Ik heb er anders nog maar twee te gaan, de dag na kerst gaan we alweer naar huis,' zei Tanja spijtig.

'Dat bedoel ik niet, Tanja.' Hij hield haar staande en keek haar ernstig aan. 'Ik wil je na deze vakantie blijven zien, het liefst zo vaak mogelijk. Ik vrees dat je nu al een onuitwisbare indruk op me hebt gemaakt.'

Tanja bloosde diep, ze sloeg verlegen haar ogen neer. Jos verwoordde precies hoe zij zich voelde, maar ze durfde daar niet zonder meer aan toe te geven. 'We zien wel,' mompelde ze. 'Misschien val ik je wel zo tegen dat je straks blij bent dat ik weg ben.'

'Absoluut niet,' verzekerde hij haar. 'Geef me trouwens meteen je adres en telefoonnummer, voordat dat straks in de drukte vergeten word. Ik neem geen enkel risico.' Hij lachte en schonk haar een warme knipoog. Snel noteerde hij haar gegevens.

'Dat meen je niet.' Verbaasd keek hij op van het papiertje in zijn hand. 'Dan wonen we vlak bij elkaar. Een kwartier rijden, schat ik. Als dat geen vingerwijzing van het lot is, weet ik het ook niet meer.'

Tanja's wangen werden steeds roder. Inmiddels waren ze bij de kamer van haar en haar moeder aangekomen, zag ze opgelucht. Hoewel ze aan de ene kant deze avond het liefst zo lang mogelijk wilde rekken, verlangde een ander deel van haar ernaar om alleen te zijn. Ze was zo in de war.

'Ik moet naar binnen,' zei ze haastig.

Jos knikte begrijpend. Hij leek precies te weten wat er in haar omging. 'Slaap lekker. Misschien kunnen we morgen iets samen ondernemen? Met zijn tweeën, bedoel ik, zonder de hele groep erbij.'

'Dat weet ik nog niet,' antwoordde Tanja nerveus met een schuwe blik naar haar kamerdeur. Ze wist niet of Aafke nog wakker zou zijn en vreesde dat die de gang in zou komen om haar binnen te roepen, een vernedering die ze zichzelf graag wilde besparen. 'Het is morgen eerste kerstdag, ik kan niet zomaar doen wat ik zelf wil.'

'Ach ja, je moet rekening met je moeder houden.'

'Dat hoef je niet zo spottend te zeggen,' verweet Tanja hem.

'Dat doe ik niet, ik constateerde slechts een feit. Natuurlijk kun je haar niet de hele dag alleen laten, dat is logisch, maar een uurtje moet toch wel kunnen? Volgens mij heb jij in je bezorgdheid om je moeder heel veel moeite om de gulden middenweg te vinden,' peinsde Jos.

'Ik kan niet altijd tegen haar op,' bekende ze.

'Dat lijkt me een understatement, voor zover ik jullie beiden heb leren kennen,' grinnikte Jos. 'Als wij later getrouwd zijn, gaan we maar één keer in de maand op zondag bij haar eten, hoor. Dan weet je dat maar vast.'

'Ik ga nu naar binnen,' zei Tanja zonder op die opmerking in te gaan. Haar maag maakte echter een wilde rondedans door haar lichaam. Ze kende hem nog maar net en wist heus wel dat ze niet zo hard van stapel moest lopen, maar zijn woorden raakten een gevoelige snaar bij haar. Het was in ieder geval geen vervelend toekomstbeeld, dat zeker niet. Ze wenste dat ze de rest van deze korte vakantie met Jos en zijn vrienden door kon brengen, zonder haar moeder als blok aan haar been.

Aafke lag te slapen, zag ze toen ze zacht de deur opendeed en naar binnen glipte. In het licht van het kleine schemerlampje dat Tanja aanknipte, ontdekte ze sporen van tranen op haar moeders wangen. Op slag voelde ze zich schuldig over haar laatste gedachte. Ze was egoïstisch bezig, verweet ze zichzelf in stilte. Dit waren zware dagen voor haar moeder, daar mocht ze best wat meer rekening mee houden. Het was niet eerlijk als zij vier dagen feestte terwijl haar moeder zich zo ellendig voelde. Zo stil mogelijk, om haar moeder niet te wekken, nam ze een douche en stapte ze haar bed in. Ze droomde over de avond die achter haar lag en over Jos. In deze droom lag ze in zijn armen en kuste hij haar hartstochtelijk terwijl Aafke achter hen stond en haar toeriep dat ze dit niet moest doen. Verward werd ze de volgende ochtend wakker. Het was of ze even een glimp van de toekomst had gezien en daar voelde ze zich behoorlijk onbehaaglijk bij.

'Goedemorgen schat. Prettig kerstfeest,' zei Aafke zodra ze zag dat Tanja haar ogen opende. Ze zat volledig aangekleed in de stoel voor het raam. Enigszins stijf kwam ze overeind. Ze pakte een klein doosje van de vensterbank en overhandigde dat aan Tanja. 'Je kerstcadeautje.'

'Maar mam, we zouden niets voor elkaar kopen,' protesteerde Tanja. 'Ik heb niets voor jou.'

'Het is een kleinigheidje om je te bedanken voor alles wat je voor me doet. Ik besef heus wel dat het voor jou een opoffering is om de feestdagen met je eenzame moeder door te brengen.'

'Niet waar,' zei Tanja meteen. 'We hebben het toch gezellig samen?'

'Ik in ieder geval wel,' antwoordde Aafke ernstig. 'Ik zou niet weten hoe ik deze dagen door moest komen zonder jouw gezelschap. Je bent een dochter uit duizenden, schat. Natuurlijk had ik liever gezien dat je vader gewoon bij me was gebleven, maar nu de zaken zo liggen verheug ik me erop om de kerst met jou samen te vieren, vandaar. Maak het maar snel open. Ik ben benieuwd hoe je het vindt.'

Met gemengde gevoelens plukte Tanja aan het papier. Eigenlijk had ze gehoopt dat haar moeder zich vandaag weer bij de drie andere vrouwen aan zou sluiten, zodat zij iets met Jos kon ondernemen. Die kans zat er echter niet in, zo te horen. Nu Aafke zo openhartig haar gevoelens had kenbaar gemaakt, kon zij onmogelijk het initiatief nemen om deze dag, of althans een gedeelte daarvan, gescheiden van elkaar door te brengen.

In het doosje trof Tanja een paar oorbellen aan die ze een paar weken geleden, tijdens een winkeltocht met haar moeder, had bewonderd in de etalage van een juwelier. Ze waren van goud en bezet met kleine diamantjes. En schrikbarend duur, wist Tanja. Ze hield haar adem in bij de aanblik van de gouden oorbellen op het donkerrode fluweel.

'Mam,' fluisterde ze. 'Dit kan ik toch geen kleinigheidje noemen. Ze kosten een kapitaal.'

'Ze zijn je van harte gegund, kind.' Aafke knikte haar toe. 'Als je er maar blij mee bent.'

'Ik ben er dolblij mee, ze zijn beeldschoon.' Tanja sprong uit bed en deed de oorbellen in. Voor de spiegel bewonderde ze het resultaat. De diamantjes flonkerden in het lamplicht.

'Geweldig. Dank je wel.' Ze kuste Aafke op beide wangen.

'Na het kerstontbijt is er een toneelvoorstelling in de foyer waar ik heen wil,' zei Aafke. 'Kinderen van het personeel voeren het kerstspel op. Vanmiddag, na de lunch, is er een klaverjasdrive. Ik heb ons opgegeven als koppel, dat vind je toch wel goed?'

'Natuurlijk,' antwoordde Tanja. Wat kon ze anders zeggen op dat moment? Haar hart voelde echter zwaar aan in haar borst. Ze hield niet van klaverjassen, al hadden haar ouders haar dit spel al vroeg geleerd. Ze vond het saai en eentonig en was er ook niet echt goed in. Ze kende de regels en kon zodoende meespelen, maar inzicht in het spel ontbrak haar volkomen. Voor eerste kerstdag kon ze wel iets leukers verzinnen om te doen, maar dit kon ze niet weigeren. Niet na wat Aafke net allemaal gezegd had.

In de ontbijtzaal was het al gezellig druk. Kerstliedjes vulden de atmosfeer, twee enorme kerstbomen, overdadig versierd, stonden aan weerszijden van het uitgebreide buffet en de medewerkers van het hotel droegen allemaal een zwart glittergiletje over hun witte bloesjes.

Het 'prettig kerstfeest' klonk aan alle kanten. De tafeltjes waren feestelijk gedekt met kerstkleden, takjes hulst en brandende kaarsen.

'Daar zitten je nieuwe vriendinnen,' wees Tanja. 'Zullen we bij ze aanschuiven?'

Aafke schudde haar hoofd. 'Kerst breng je door met je familie, niet met vreemden,' zei ze.

Dan hadden we niet naar een hotel hoeven gaan, dacht Tanja bij zichzelf. Ze hield die opmerking echter voor zich, want Aafke zou die zeker niet waarderen. De kans om nog wat tijd met Jos door te brengen vandaag, werd wel steeds kleiner. Ze zaten net aan hun ontbijt toen hij de eetzaal binnenkwam.

Hij kwam recht op hun tafeltje aflopen.

'Goedemorgen dames, prettig kerstfeest,' begroette hij hen. Hij schudde Aafke beleefd de hand en gaf Tanja een lichte kus op haar wang. Hij vroeg Aafke toestemming te gaan zitten en schoof al een stoel naar achteren zonder op haar antwoord te wachten.

'Ik zit met mijn dochter aan het kerstontbijt, we hebben geen behoefte aan gezelschap,' wees ze hem scherp terecht.

'We zijn in een hotel, het is niet gezellig om je af te zonderen,' zei Jos vriendelijk.

'Dat kunnen we heel goed zelf bepalen.' Aafke schoof haar stoel naar achteren en stond op. 'Ik ga koffie halen, als ik terugkom verwacht ik dat je ergens anders zit.' Met fier opgeheven hoofd liep ze weg.

Jos keek haar verbluft na. 'Geen makkelijke tante, hè?' zei hij tegen Tanja.

'Ze heeft het moeilijk,' verdedigde die haar moeder.

'Dan nog. Gaan wij nog iets leuks doen vandaag?'

Tanja haalde diep adem voor ze antwoord gaf. 'Ik denk het niet. Mijn moeder wil straks graag het kerstspel zien en vanmiddag doen we mee aan de klaverjasdrive.'

'Je zit behoorlijk onder de plak bij haar, hè?' vroeg hij geamuseerd.

'Dat is het niet. Ze wil deze dag graag met mij doorbrengen en waarom zou ik haar dat plezier niet doen na alles wat ze meegemaakt heeft?'

'Je hebt ook een eigen leven, Tanja. Persoonlijk vind ik dat ze wel heel erg veel beslag op je legt. Ze gaat er zonder meer vanuit dat jij doet wat zij wil.'

'Ze waardeert het heus wel,' weerlegde Tanja dat. Ze showde hem haar nieuwe oorbellen. 'Kijk, die kreeg ik vanochtend van mijn moeder uit dankbaarheid voor alles wat ik voor haar doe.'

'Ze heeft je dus min of meer betaald om haar vandaag gezelschap te houden,' oordeelde Jos hard.

'Wat een rotopmerking,' zei Tanja vinnig. Ze kon echter niet verhinderen dat haar wangen rood kleurden. Diezelfde gedachte was die ochtend ook door haar hoofd geschoten, maar een ander mocht zoiets niet zeggen. Het klonk ook meteen zo cru als het hardop uitgesproken werd.

'Misschien, maar ik heb wel gelijk, ontken het maar niet,' zei Jos kalm terwijl hij opstond. 'Je moeder komt er weer aan, ik zal jullie met rust laten.' Hij knikte kort tegen Aafke en liep weg.

'Haal je maar niets in je hoofd,' zei Aafke. Ze keek hem na, richtte haar blik toen op Tanja's blozende gezicht. 'Tijdens vakanties worden vriendschappen zo makkelijk aangeknoopt, maar in de realiteit van alledag worden ze net zo snel weer vergeten. Hij doet zich nu lief en aardig voor, denk echter maar niet dat je ooit nog iets van hem hoort als we weer thuis zijn.'

'Daar ben ik ook niet op uit,' zei Tanja stug.

'Dat is maar goed ook,' had Aafke het laatste woord.

Ze ontbeten zwijgend verder, daarna namen ze plaats in de foyer. Het kerstspel, uitgevoerd door kinderen in leeftijden variërend van vier tot twaalf jaar, was alleraardigst. Tanja genoot er oprecht van en ze beloonde ze dan ook met een hartelijk applaus. De rest van de dag kroop voorbij. Ondanks de inspanningen van het personeel van het hotel om een echte kerstsfeer te creëren voor hun gasten, voelde Tanja zich niet bepaald feestelijk. Het klaverjassen die middag was een bezoeking voor haar. Ze had nu met Jos in het zwembad kunnen liggen, mijmerde ze. Of in de bar iets kunnen drinken met de hele groep waar hij bij hoorde. Of gewoon ergens gezellig in een hoekje lekker kletsen. Aangezien ze toch al geen ster in dit spel was en nu ook nog moeite moest doen om haar aandacht erbij te houden, was het voor haar geen verrassing dat zij en haar moeder ergens in de laagste regionen eindigden.

'Toch was het gezellig,' zei Aafke tevreden bij het verlaten van de zaal. 'Dit moeten we vaker doen. De buren klaverjassen ook graag, maar we hebben een vierde man nodig. Die rol kun jij mooi vervullen.'

'Ik hou helemaal niet van klaverjassen,' zei Tanja.

'Dat komt omdat je het niet vaak genoeg doet. Met wat oefening word je er vanzelf beter in en ga je het ook leuker vinden. Als we weer thuis zijn, moeten we eens een afspraak maken met ze. Gezellig,' meende Aafke optimistisch.

Zoals zo vaak de laatste tijd zuchtte Tanja inwendig. Haar moeder luisterde simpelweg niet naar wat ze te zeggen had en ze denderde als een tank over haar mening heen. Voet bij stuk blijven houden betekende echter een fikse ruzie, wist ze uit ervaring, dus hield ze liever haar mond en hoopte ze stilletjes dat haar moeder ooit zou veranderen.

Bij de deur van de eetzaal, waar een traditioneel kerstdiner werd geserveerd, stond Jos op haar te wachten. Aafke negeerde hem en liep door, Tanja hield hij aan haar mouw tegen.

'Het spijt me van vanochtend,' zei hij onomwonden. 'Ik ging te ver.'

'Je had wel een beetje gelijk,' gaf Tanja toe.

'Maar ik had het niet mogen zeggen over je moeder.' Hij grinnikte enigszins verlegen. 'Ik zou het ook niet pikken als iemand zoiets over mijn moeder zei. Nou is dit niet aan de orde, want mijn moeder is een schat van een vrouw die mij mijn eigen leven laat leiden, hoewel ze ook alleen staat. Maar ook zij heeft fouten, zoals ieder normaal mens. Ik zie die fouten wel, maar wil niet dat anderen daar schamper over doen, vandaar. Zijn we weer vrienden?' Hij stak zijn hand naar haar uit en zonder aarzelen legde Tanja de hare daarin.

'Vrienden,' herhaalde ze. 'Nu ga ik snel naar binnen.' Ze knikte naar het tafeltje waar Aafke aan zat.

'Geniet van het diner. Ik weet niet of we morgen nog veel gelegenheid krijgen om elkaar te spreken, maar zo niet dan zie ik je in ieder geval volgende week. Zodra ik thuis ben kom ik naar je toe,' beloofde Jos haar met zijn ogen recht in de hare.

'Fijn, ik zie ernaar uit,' zei Tanja eenvoudig.

Dromerig liep ze de eetzaal in. Ze proefde amper iets van de heerlijke gerechten die hun werden voorgezet. In de hoek van de grote zaal zat Jos met zijn vrienden. Af en toe ontmoetten hun ogen elkaar en op die momenten voelde Tanja zich warm worden vanbinnen. Zomaar ineens beloofde de toekomst iets heel moois voor haar in petto te hebben. Wie weet maakte zij binnenkort ook deel uit van die groep vrienden die het zo leuk had met elkaar. Ze wilde niets liever, nu haar eigen

127

vriendschappen zo raar verlopen waren.

Tweede kerstdag verliep rustig. De drie andere vrouwen haalden Aafke over om 's middags nogmaals te kaarten, waardoor Tanja een uurtje gelegenheid had om te gaan zwemmen. Jammer genoeg zag ze Jos en zijn vrienden nergens, maar zijn belofte bewaarde ze als een zoet geheim in haar hart. De dag erna, hun vertrekdag, verscheen hij ineens in de hal terwijl Tanja bij de balie hun kamersleutel inleverde.

'Ik zet deze wel voor je in de auto,' zei hij, hun zware koffer optillend. Hij nam beleefd afscheid van Aafke voor hij zich weer tot Tanja wendde. 'Ik ben blij dat we elkaar ontmoet hebben. Tot volgende week, Tanja. Ik verheug me erop.'

'Ik ook,' zei ze verlegen. Het liefst zou ze hem een zoen willen geven, maar omdat Aafke vanuit de auto met priemende ogen zat toe te kijken durfde ze dat niet. Jos bleef op de inrit van het hotel staan zwaaien, zodat ze hem in haar achteruitkijkspiegel kon zien totdat ze de bocht naar de weg moest nemen.

Was deze week maar vast voorbij, wenste ze in stilte. Eerst moest ze echter oudejaarsavond nog door zien te komen. Oudejaarsavond met haar moeder, alsof er nergens iets gezelligers te doen was. Dit was echter weer zo'n gelegenheid waarbij Tanja zich verplicht voelde Aafke gezelschap te houden. Iedereen kon dan wel beweren dat zij niet verantwoordelijk was voor haar moeders geluk en dat die zelf het heft in handen moest nemen om nieuwe vriendschappen op te bouwen, toch voelde dat niet zo. Als ze naar een feestje zou gaan in de wetenschap dat haar moeder eenzaam thuis zat op oudejaarsavond, zou ze daar toch niet van kunnen genieten, nog afgezien van de speldenprikken en het slachtofferige gedrag dat Aafke vervolgens ten toon zou spreiden.

Dus haalde Tanja op eenendertig december oliebollen en appelflappen in huis en nam ze samen met Aafke de tv-gids door, om een leuk programma voor die avond op te stellen waar ze naar konden kijken.

'Gezellig,' zei Aafke tevreden. 'Al die feesten die overal georganiseerd worden op dit soort avonden zijn niets voor mij. Er gaat niets boven het gezelschap van familie bij deze gelegenheden.

December is typisch een familiemaand, vind ik.'

Tanja knikte werktuiglijk, hoewel ze het er niet mee eens was. Zij vond familie ook belangrijk, maar niet het enige zaligmakende. Ze had dolgraag naar het feest willen gaan dat in het buurthuis gegeven werd.

Om kwart voor negen, ze nam net een hap van haar eerste oliebol die avond, weerklonk de bel door het huis. Aafke en Tanja keken elkaar verbaasd aan. Er kwam zelden visite, dus op deze avond verwachtten ze al helemaal niemand.

'Wie is daar?' riep Tanja door de dichte deur.

'Verrassing!' klonk een bekende stem. Haar hart begon wild te bonken en haar vingers trilden zo erg dat ze het slot bijna niet open kreeg. Enkele seconden later lag ze in de armen van Jos.

'Er was niets meer aan in het hotel zonder jou,' zei hij.

'Er stond anders een spetterend feest op het programma,' herinnerde Tanja zich. Met stralende ogen keek ze naar hem op.

'Ik ben liever bij jou en je moeder,' beweerde Jos serieus. 'Wat kan er nou leuker zijn op oudejaarsavond dan het gezelschap van een jong meisje en een oude zuurpruim?'

Tanja schoot hardop in de lach. 'Je bent gek, weet je dat? Kom gauw mee naar binnen, je bent ijskoud. Zal ik koffie voor je zetten?'

Jos wreef in zijn handen. 'Ik wil warme chocolademelk met rum en slagroom, dat hoort erbij op deze avond. Chocolademelk en een knappe vrouw, meer kan een mens zich niet wensen.'

Met het gevoel alsof ze zweefde liep Tanja voor hem uit naar de huiskamer. Zoiets liefs had nog nooit iemand voor haar gedaan, ook Benjamin niet. Ze zegende in stilte de dag dat Aafke besloten had om een hotel te boeken voor de kerst. Het begon erop te lijken dat die ene beslissing bepalend zou worden voor de rest van haar leven.

HOOFDSTUK 14

Die ene oudejaarsavond was het begin van een stormachtige relatie tussen Tanja en Jos. Ondanks de afkeuring van Aafke, die zuur beweerde dat ze Jos helemaal niets vond, stortte Tanja zich er helemaal in. Het was zalig om weer verliefd te zijn, zeker na de tijd die achter haar lag. Door Jos had ze ook meteen een grote groep vrienden, hoewel ze daar minder contact mee had dan ze zou willen. Jos was ambitieus en werkte hard, de weinige vrije tijd die hij had bracht hij liever alleen met Tanja door dan met z'n allen. Als projectleider bij een groot, internationaal bedrijf had hij een drukke baan. Momenteel was hij gestationeerd bij hun dochteronderneming in Duitsland, bijna tweehonderd kilometer van hun woonplaats vandaan.

Hij reageerde verbaasd toen Tanja hem vertelde dat zij slechts een parttime baantje had.

'Werkelijk? Vind je dan wel bevrediging in je werk?' wilde hij weten.

'Ik doe het met plezier,' was haar antwoord.

'Dat vroeg ik niet. Een parttime baan is iets wat je erbij doet, volgens mij. Iets naast je andere bezigheden en dus tevens iets wat niet zo heel belangrijk voor je is. Ik moet er niet aan denken om maar drie dagen te werken. Als je nou drie kinderen aan je rokken had hangen kon ik me er iets bij voorstellen, maar in jouw geval? Wat doe je in vredesnaam met de rest van je tijd?' Hij trok zijn wenkbrauwen hoog op bij die vraag.

'Niet iedereen is zo'n carrièretijger als jij,' zei Tanja kortaf zonder een rechtstreeks antwoord te geven.

'Ik begrijp het gewoon niet. Je bent vierentwintig, hebt geen gezin, je volgt geen opleiding of zo en je bent niet chronisch ziek en toch werk je maar vierentwintig uur per week. Dat betekent dus ook dat je geen volwaardig inkomen hebt. Waar betaal je al je vaste lasten van?'

'Die heb ik niet. Ik woon gratis bij mijn moeder,' zei Tanja ongemakkelijk. Nu ze het zo hardop zei klonk het haarzelf ook heel zwak in de oren. Op haar leeftijd zou ze allang zelfstandig moeten zijn.

Jos knikte alsof hij meteen alles begreep. 'Het was waarschijnlijk ook haar idee van dat parttime werken, zodat je overdag ook vaak bij haar bent.'

'Niet waar,' schoot Tanja meteen in de verdediging. Ze kon nog steeds niet hebben dat hij iets negatiefs over Aafke zei. Het lag toch allemaal al zo gecompliceerd, omdat Aafke duidelijk liet merken dat ze Jos niet mocht. Net als eerder met Benjamin, deed Tanja verwoede pogingen te bemiddelen en de twee partijen dichter bij elkaar te brengen. Ze zou zo graag willen dat haar partner en haar moeder het goed konden vinden samen, dus viel ze de een nooit af tegenover de ander. 'Het was mijn eigen keus toen ik met Benjamin ging samenwonen. Mijn moeder was daar zelfs op tegen.'

'Maar waarschijnlijk kwam het haar prima uit op het moment dat je weer bij haar introk.'

Tanja zei daar niets op terug, wat voor Jos antwoord genoeg was. Hij had heel goed door hoe Aafke de boel manipuleerde, om Tanja zo dicht mogelijk bij zich te houden. Het nieuws dat hij deze avond had, zou dan ook zeker niet in goede aarde bij Aafke vallen, vreesde hij. Hij kon alleen maar hopen dat Tanja zich in deze belangrijke kwestie niet door haar moeder zou laten leiden, maar haar eigen beslissing zou nemen.

'Ik moet je iets vertellen,' zei hij. Ze zaten tegenover elkaar in een knus restaurant waar ze net gegeten hadden en hij trommelde enigszins nerveus op het tafelblad. 'Je weet dat ik momenteel in Duitsland werk, wegens ziekte van de manager daar. Diezelfde manager gaat volgend jaar met pensioen en ze hebben mij gevraagd om hem op te volgen.'

'Je gaat dus in Duitsland wonen?' begreep Tanja. Haar gezicht vertrok.

'Wij gaan in Duitsland wonen,' verbeterde Jos haar. Hij pakte allebei haar handen vast. 'Ik wil niet al te zeer op de zaken vooruitlopen, maar als onze relatie zich ontwikkelt zoals ik hoop, is het wel de bedoeling dat we samen gaan. Voel je niet gedwongen om dat onmiddellijk te beslissen, ik wilde alleen dat je het wist, zodat het je straks niet al te rauw op je dak valt. Het is in ieder geval niet zo dat ik jou als een aardig tijdverdrijf beschouw totdat ik mijn koffers pak, daar hoef je niet bang voor te zijn.'

'Natuurlijk wil ik met je mee,' zei Tanja zonder aarzeling. 'Mits het dan inderdaad nog goed loopt tussen ons, uiteraard. Het is nog een beetje te vroeg om daar nu al uitspraken over te doen.'

'Voor mij niet.' Met pretlichtjes in zijn ogen keek hij haar aan. 'Ik weet heel goed wat ik wil. Maar nogmaals, voel je nog nergens toe verplicht.'

Tanja zag het echter al helemaal zitten. Dit was dé gelegenheid om haar leven helemaal om te gooien en eindelijk eens te doen wat ze zelf wilde, zonder voortdurend rekening met anderen te moeten houden. Duitsland was perfect. Niet zo ver dat ze nooit eens een paar dagen naar hun oude woonplaats konden gaan, maar ver genoeg om verlost te zijn van het juk van haar moeder. Ter plekke besloot ze Aafke nog niets te vertellen van deze plannen. Een jaar duurde lang, tegen die tijd was het vroeg genoeg.

'Hoe is het geregeld met huisvesting?' vroeg ze. 'Ik bedoel, heeft jouw bedrijf daar huizen voor zijn werknemers of moet je zelf iets zoeken?'

'We krijgen het huis waar de huidige manager in woont. Hij verhuist tegen die tijd naar een bungalow,' vertelde Jos.

'Heb je foto's van dat huis?' vroeg Tanja gretig.

'Nee, hoezo? Wilde je vast met de inrichting beginnen?' grinnikte hij.

'Eigenlijk wel. Mijn grootste hobby is het opknappen en inrichten van poppenhuizen. Ik maak alles zelf, tot de meubels aan toe. Als we de maten weten, kan ik het huis namaken op schaal.'

'Jij hebt onvermoede kanten, dit had ik nooit achter je gezocht. Komende week ga ik naar die man toe en vraag ik hem of hij een plattegrond heeft waar de maten op vermeld staan,' beloofde Jos. 'Zullen we nu trouwens gaan?' vervolgde hij met een blik op zijn horloge. 'De voorstelling begint zo.' Hij wenkte een ober om af te rekenen.

Op het moment dat hij Tanja in haar jas hielp, begon de mobiele telefoon in haar tas te rinkelen. Haar moeder, zag Tanja. Ze had het kunnen weten. Dit was niet de eerste keer dat Aafke een avond uit met Jos verstoorde. De vorige keer dat ze samen op stap waren had ze gebeld omdat ze meende dat iemand probeerde in te breken en de keer daarvoor omdat de stroom uitgevallen was en ze helemaal in paniek was geraakt in het donker. Beide keren waren ze de rest van de avond bij Aafke gebleven om haar te kalmeren.

'Neem maar op,' knikte Jos toen hij zag dat Tanja aarzelde. Zijn gezicht stond ondoorgrondelijk.

De stem van Aafke klonk piepend en benauwd. Ze hijgde zwaar en kon bijna niet uit haar woorden komen. 'Zo... benauwd...' kreunde ze moeizaam. 'Pijn... in borst.'

Tanja schrok hevig. Zo had ze haar moeder nog nooit gehoord. Het was wel duidelijk dat er dit keer iets ernstigs aan de hand was. 'We komen er direct aan,' riep ze. Ze sprintte meteen in de richting van de parkeerplaats van het restaurant.

'Ik ben bang dat ze een hartaanval heeft,' zei ze tegen Jos. 'Ze klonk zo benauwd. Kun je wat harder rijden alsjeblieft?' De rit naar haar ouderlijk huis leek uren te duren. Tanja wachtte niet eens tot de auto goed en wel stilstond langs de stoeprand, ze sprong er onmiddellijk uit en haastte zich naar binnen. Aafke lag op de bank. Haar borst ging snel op en neer en haar ademhaling kwam met horten en stoten. Ze klampte zich aan Tanja vast.

'Rustig maar, we zijn er,' sprak Tanja sussend. 'Gewoon door blijven ademen. Heb je pijn?'

Aafke schudde haar hoofd. 'Net wel, nu is die gezakt. O Tanja, ik was zo bang. Ik dacht dat ik doodging. Er was niemand die ik kon bellen.'

'112 was een mogelijkheid geweest,' zei Jos kalm vanuit de deuropening.

Aafke negeerde hem. 'Het was zo angstig. Alles werd zwart voor mijn ogen, de kamer draaide om me heen. Ik weet niet eens hoe het me gelukt is om jouw nummer te draaien.'

'Automatisme waarschijnlijk,' kwam Jos weer. Er verscheen een grimmige trek op zijn gezicht. 'Je doet het zo vaak dat je vingers automatisch dat nummer intoetsen op het moment dat je de telefoon oppakt.'

'Jos, doe nou niet zo,' verzocht Tanja hem smekend.

'Ik weet niet hoe het er in jouw familie aan toegaat, maar Tanja en ik hebben een sterke band,' zei Aafke hoog. 'Het lijkt me niet meer dan normaal dat ik haar bel als er iets aan de hand is.'

Jos knikte. 'Je zegt het zelf al: als er iets aan de hand is. Alleen is dat nu niet het geval, je mankeert niets.'

'Waar we alleen maar blij om zijn,' zei Tanja haastig. 'Kan ik iets voor je doen, mam? Wil je wat drinken?'

'Een beetje water graag,' antwoordde Aafke lijdzaam. Met trillende handen nam ze het glas aan. Ze dronk een paar kleine slokjes en zuchtte toen diep. 'Ik shake helemaal.'

'Ga lekker je bed in,' adviseerde Tanja. 'Zo'n paniekaanval kan een mens helemaal uitputten, dat heb ik op mijn werk vaker gezien. Slaap is het beste medicijn, eventueel met een kalmerend middeltje. Kom maar, ik zal je wel helpen.' Ze hielp Aafke overeind en steunde haar op weg naar de slaapkamer. Alsof het een klein kind betrof stopte ze haar in bed.

'Je gaat toch niet weg?' vroeg Aafke angstig. Tanja merkte dat haar ademhaling weer iets sneller ging en haastte zich om haar gerust te stellen.

'Natuurlijk niet. Als er iets is hoef je alleen maar te roepen, ik blijf thuis.'

Jos zat nog steeds in de huiskamer. Hij leunde met zijn ellebogen op zijn knieën en staarde somber voor zich uit.

'Het spijt me,' zei Tanja.

'Dat hoor ik niet voor het eerst,' reageerde hij wrang. 'Dit is de derde keer al dat een avond van ons tweeën de mist in gaat.'

'Wat had ik anders moeten doen?' vroeg ze hulpeloos terwijl ze naast hem ging zitten. 'Ik kon toch moeilijk tegen haar zeggen dat ze maar een dokter moet bellen omdat ik er niet over peins om naar huis te komen.'

'Dat is nu net het probleem, ze weet dat je altijd komt als ze roept. Laten we wel wezen, als mijn moeder zou bellen dat ze het benauwd heeft en pijn op haar borst heeft, snel ik ook onmiddellijk naar huis en als dan blijkt dat er niets ernstigs is ben ik alleen maar opgelucht, maar jouw moeder verzint het om jou thuis te krijgen en dat is het verschil.'

'Dit was niet gespeeld, ze had een paniekaanval,' zei Tanja onmiddellijk.

'Denk je dat echt? Vind je het dan niet heel erg toevallig dat ze dat nog nooit gehad heeft, maar dat het plotseling de kop opsteekt als wij een avond uit zijn?'

'Zulke dingen gebeuren juist als je alleen bent,' weerlegde ze dat.

'Net als die vermeende inbreker? En de stroom die uitviel, waarbij ze totaal in paniek raakte?' ging Jos verder. 'Het enige wat ze op dat moment hoefde te doen, was de knop van de aardlekschakelaar indrukken, maar dat kwam niet in haar hoofd op. Nee, ze belde jou, jij kwam onmiddellijk naar huis en vervolgens ben je de rest van de avond bij haar gebleven omdat ze zo geschrokken was.'

'Mijn moeder heeft haar hele leven nog nooit alleen gewoond, er was altijd iemand die dat soort dingen voor haar regelde.'

'Dan wordt het hoog tijd dat ze dat zelf eens leert,' meende Jos onverbiddelijk. 'Jij houdt haar gedrag in stand op deze manier. Duizenden vrouwen wonen alleen na een lang huwelijk en ik hoef alleen maar naar mijn eigen moeder te kijken om te weten hoe het ook kan. Zij is vrijwilligerswerk gaan doen en heeft een vriendenkring opgebouwd waar ze dingen mee onderneemt. Vaak is ze er niet eens als ik bij haar op bezoek wil gaan.'

'O, wat lijkt me dat zalig,' verzuchtte Tanja hartgrondig. 'Maar niet iedereen is hetzelfde, Jos.'

'Ze claimt je op een ongezonde manier,' hield hij vol. 'Dit is gewoonweg ziekelijk, daar moet je grenzen aan stellen.'

'Dat wil ik wel, ik weet alleen niet hoe. Deze situatie is langzaam zo gegroeid en op een gegeven moment is het niet meer terug te draaien. Mijn moeder is afhankelijk van mij.'

'Je moeder maakt zichzelf afhankelijk van jou en jij geeft haar daar de kans voor,' verbeterde Jos haar. 'Je moet minder toegeven aan haar grillen en niet iedere keer op komen draven als ze je weer met een smoesje belt. Neem nou die keer met die vermeende inbreker. Dat ze bang is, is nog te begrijpen en dat ze jou vervolgens belt ook, maar nadat wij de boel gecontro-leerd hadden en constateerden dat er niets aan de hand was, hadden we gewoon weer weg moeten gaan. Ze werkt op zo'n moment echter op jouw gemoed en jij kan daar niet tegen.'

'Nee, dan voel ik me schuldig,' gaf Tanja toe.

'Precies, dat weet ze ook. Als je iets aan deze situatie wilt doen, zul jij moeten veranderen, Tanja. Je hoeft haar heus niet onmid-dellijk aan haar lot over te laten, maar wees duidelijk, stel gren-zen en zet desnoods af en toe je telefoon uit als je niet thuis bent.'

'Dat laatste klinkt tenminste makkelijker dan het eerste,' zei ze met een klein lachje.

'Het is in ieder geval een begin.'

Tanja stond op en keek om het hoekje van de slaapkamerdeur of alles in orde was met haar moeder. Aafke lag rustig te slapen, zag ze tot haar geruststelling. Ze voelde zich niet erg gemakke-lijk bij dit gesprek met Jos. Natuurlijk wist ze heus wel dat hij gelijk had, maar de theorie was zoveel makkelijker dan de praktijk. Grenzen stellen, dat klonk zo simpel, maar hoe deed je dat als er op je gemoed werd gewerkt? Hoe kon ze een hulp-kreet van haar moeder negeren? Ergens was ze woedend op haar vader omdat hij dit probleem had veroorzaakt door weg te gaan en Aafke alleen te laten, aan de andere kant, als haar moe-der zich jegens hem net zo opgesteld had, kon ze er juist begrip voor opbrengen. Hij schoof alleen wel erg makkelijk de verant-woording naar haar toe, vond ze. Ze stond er niet bij stil dat zij die verantwoordelijkheid zelf naar zich toe getrokken had door het medelijden dat ze voor haar moeder voelde. Voor het ge-mak vergat ze even dat Gerbrand haar hier juist voor gewaar-schuwd had.

Ze schonk iets te drinken voor hen in en ging weer naast Jos zitten. Hoewel zijn aanwezigheid juist voor veel problemen zorgde, was ze dolblij dat ze hem had. Hij was haar uitweg hier-in.

'Dit probleem lost zich volgend jaar natuurlijk vanzelf op, als we niet meer zo dicht in de buurt wonen,' zei ze als vervolg op die gedachte. 'Dan kan ze niet meer voortdurend een beroep op me doen en zal ze eraan moeten wennen om alleen te wonen.'

'Je wilt de zaken dus gewoon op hun beloop laten?' begreep Jos met een snelle blik opzij. 'Dat zou niet mijn oplossing zijn, maar goed. Ik kan je niet veranderen, Tanja, en dat wil ik ook helemaal niet, ik kan je alleen maar advies geven. Wat je ermee doet moet je zelf weten, maar ik vertik het om mijn leven, ons leven, te laten bepalen door je moeder. Als ze eenzaam is wil ik haar best eens een keer meenemen naar de schouwburg, maar niet iedere keer. Een weekendje met zijn drieën weg vind ik prima, maar geen hele vakantie. Op zondagavond hier eten is prima, maar niet iedere week. Begrijp je wat ik bedoel?'

'Grenzen,' zei Tanja met een grimas.

'Precies. Denk daar maar eens over na.'

'Dat klinkt een beetje alsof je me een ultimatum stelt en ik straks moet kiezen tussen mijn moeder en jou.'

'Dat is niet mijn bedoeling. Ik hoop dat je zelf in gaat zien hoe je je hierin op moet stellen.' Jos stond op. 'Het irriteert me wel, ja, daar ben ik eerlijk in. Ik zou het erg prettig vinden om een avondje met mijn vriendin weg te gaan zonder dat ze naar huis wordt geroepen door haar moeder.'

'De volgende keer dat we weggaan zet ik mijn telefoon uit,' beloofde Tanja hem, hoewel ze wist dat dit niet precies was wat hij wilde horen.

Dit gesprek had haar wel aan het denken gezet. Er moest inderdaad wel iets veranderen, anders zag ze het er straks nog van komen dat Aafke met hen mee verhuisde naar Duitsland. Om te beginnen besloot ze weer fulltime te gaan werken. Jos had gelijk, het was te gek voor woorden dat zij op haar leeftijd en zonder andere verplichtingen slechts zo'n klein baantje had. Van haar salaris kon ze haar moeder dan voortaan kostgeld betalen, zodat ze ook meer inbreng kreeg in hun huishouden en ze meer op gelijke voet kwamen te staan. Nu voelde ze zich te vaak het onmondige, thuiswonende kind dat gevoed werd door haar moeder. Het ontbrak er nog maar aan dat ze kleedgeld van Aafke kreeg. Als ze weer veertig uur per week werkte, met de wisseldiensten die bij die functie hoorden, kon Aafke er meteen aan wennen dat ze niet meer voortdurend thuis was, zodat de klap straks, na hun verhuizing naar Duitsland, niet zo hard aan zou komen. Ze moesten allebei hoognodig zelfstandig worden, zowel haar moeder als zijzelf. Drastische maatregelen nemen om een voortsudderende situatie te verbeteren, was niets voor Tanja, maar dit was tenminste een begin. Stapje voor stapje zou ze het dan langzaam verder opvoeren, nam ze zich voor.

Haar eerstvolgende werkdag stapte ze naar hun personeelschef, waar ze het verzoek indiende om terug te keren naar haar oorspronkelijke werkschema. Ze kwam echter van een koude kermis thuis.

'Er is geen vacature open voor een fulltime kracht,' werd haar medegedeeld. 'Het enige wat ik kan doen is je op de wachtlijst plaatsen tot we weer iemand aan kunnen trekken.'

'Er zijn altijd mensen te kort,' wierp Tanja tegen. 'We lopen af en toe op ons tandvlees om alle taken uit te kunnen voeren.'

'In de praktijk, ja, omdat er altijd wel iemand ziek of vrij is. In theorie zijn alle plaatsen echter ingevuld. Er is geen budget voor meer personeel,' legde haar chef haar uit.

Even later stond ze onverrichter zake buiten. Dit plan ging dus mooi niet door. Als ze toch wilde doen wat ze zich voorgenomen had, zou ze moeten solliciteren bij andere tehuizen. Maar hoeveel nut had dat, als ze toch over een jaar wegging? Waarschijnlijk geen.

Op dat moment besloot Tanja de zaken op zijn beloop te laten. Ze had het geprobeerd, maar het was mislukt, daar kon ze ook niets aan doen. Ondertussen hoopte ze dat dit jaar snel voorbij zou gaan.

HOOFDSTUK 15

Gespannen wachtte Tanja op Schiphol tot het vliegtuig uit Spanje geland was. Fay kwam een week bij haar logeren en daar verheugde ze zich buitensporig op. Ze had er zelfs een paar vrije dagen voor genomen, hoewel Fay natuurlijk ook andere vrienden en familieleden wilde opzoeken nu ze hier toch was. Ze drentelde rond in de drukke aankomsthal. Ze was veel te vroeg van huis weggegaan, bang dat ze te laat zou komen. Eindelijk verscheen dan toch de mededeling op het bord dat het bewuste vliegtuig veilig geland was en Tanja slaakte een zucht van verlichting. Zij was niet zo'n held op vlieggebied en voelde altijd een lichte angst dat er iets misging als zo'n enorm toestel daalde. Het duurde nog even voordat Fay haar koffer had en door de schuifdeuren tevoorschijn kwam.

'Fay!' Opgewonden zwaaide Tanja naar haar. 'Eindelijk! Ik heb je zo gemist.'

'Sinds jij niet meer bij Benjamin woont en je geen computer meer hebt, hebben we dan ook niet zoveel contact gehad,' zei Fay nuchter. 'Het wordt hoog tijd dat je weer zo'n ding aanschaft, Tan. Kunnen we elkaar tenminste zien via de webcam.'

'Mijn moeder is niet zo dol op computers, maar je hebt gelijk. We gaan er deze week direct eentje kopen,' nam Tanja zich voor. 'Jij bent technischer dan ik, dus dan kun je hem gelijk aansluiten.'

'Aha, dus daarom heb je gewacht,' ontdekte Fay plezierig. 'Weet je dat er een gebruiksaanwijzing bij zit die je precies vertelt hoe het werkt? Overigens bestaat er ook nog zoiets als een monteur die je in kunt huren voor dat werk.'

'Die kosten geld, jij doet het gratis,' zei Tanja lachend.

Gearmd liepen ze naar Tanja's auto.

'Leuk ding,' bewonderde Fay. 'Voor iemand die geen monteur kan betalen rij je in een behoorlijk luxe wagen.'

'Van mijn moeder,' verklaarde Tanja schouderophalend. 'Zij heeft hem gekocht en betaalt alle lasten, inclusief de benzine. Van mijn salarisje kan ik me dat niet veroorloven.' Ze trok een slachtofferig gezicht.

'Eigen schuld,' meende Fay onbarmhartig. 'Moet je maar meer gaan werken.'

'Dat heb ik trouwens wel geprobeerd,' vertelde Tanja nadat ze in waren gestapt en ze de auto startte. 'Jos had er ook al iets over gezegd en het leek me beter om alvast wat meer afstand van mijn moeder te nemen voordat we naar Duitsland verhuizen, maar het kon niet. Er is geen budget om meer personeel aan te trekken.'

'Vind je een andere baan geen optie?'

'Voor dat ene jaartje? Weinig nut. Het is trouwens nog maar negen maanden inmiddels. Ik kan niet wachten tot het zover is,' zuchtte Tanja.

'Waarom? Omdat je zo stapelgek op die Jos bent dat je niets liever wilt dan met hem in één huis wonen, of omdat je dan bij je moeder uit de buurt bent?' vroeg Fay spits.

Tanja begon te lachen. Ze wist dat ze Fay niets wijs kon maken, daar kenden ze elkaar te lang en te goed voor.

'Beide,' antwoordde ze eerlijk. 'Mijn moeder is behoorlijk dominant en het lukt me niet om tegen haar in het geweer te komen. Tegenwoordig zit ik zelfs iedere week met de buren te klaverjassen.' Ze trok een grimas. 'Een verhuizing naar Duitsland is natuurlijk een prachtig excuus om dat niet meer te hoeven doen.'

'Gewoon zeggen dat je daar geen zin in hebt anders ook,' zei Fay nuchter. 'Wanneer leer jij nou eens voor jezelf opkomen?'

'Waarschijnlijk nooit. Ik werd niet voor niets Tanja Hopeloos genoemd, ik ben gewoon een hopeloos geval.'

'Je bent te lief voor iedereen, behalve voor jezelf.'

Tanja remde af voor een rood verkeerslicht en klopte zichzelf op haar borst. 'Ach ja, mijn lieve inborst,' maakte ze zich er met een grapje van af. 'Wees daar maar blij om, want mijn lieve karakter heeft ervoor gezorgd dat er allemaal lekkere dingen in huis zijn, speciaal voor jou.'

'Stroopwafels?' vroeg Fay gretig.

Tanja knikte. 'Stroopwafels, drop, rookkaas,' somde ze op. 'Alles wat je daar moet missen.'

140

'Je bent een engel,' prees Fay. 'Ik zal nooit meer kritiek hebben op jouw lieve karakter.'

'Mooi.' Ze schoten samen in de lach.

Tanja genoot. Dit ongedwongen kletsen, lachen en grapjes maken kon ze alleen maar met Fay, terwijl ze ook altijd hele serieuze gesprekken voerden. De humor kwam echter altijd om de hoek kijken, hoe ernstig een gespreksonderwerp ook was. De dagen dat ze in Nederland verbleef, vlogen dan ook om, hoewel ze niets bijzonders deden. Het grootste gedeelte van de tijd zaten ze eigenlijk alleen maar te kletsen, over van alles en nog wat. Tanja had best veel meegemaakt sinds Fay vertrokken was en ze vond het heerlijk om dat uitgebreid met haar vriendin te bespreken, in plaats van ervaringen uit te wisselen tijdens telefoongesprekken. Live contact was toch iets heel anders. Fay schroomde nooit om haar mening te geven, wat Tanja vaak een heel andere kijk op de zaken gaf. Ze wenste dat zij meer was zoals Fay, die geen blad voor de mond nam en blaakte van het zelfvertrouwen. Ze leidde haar leven zoals ze dat zelf wilde, zonder zich onder te laten sneeuwen door anderen. Aafke maakte haar gast bijvoorbeeld duidelijk dat ze verwachtte dat die iedere dag stipt om halfzes thuis zou zijn voor het avondeten. Fay maakte haar vriendelijk, maar beslist, kenbaar dat ze dat niet van plan was.

'Ik heb vakantie, dus ik wil me niet vastleggen op zo'n schema. Zullen we afspreken dat ik in ieder geval voor vijven even bel of ik wel of niet thuiskom?' stelde ze voor.

Aafke was hier zonder commentaar mee akkoord gegaan, iets wat Tanja met verbazing bekeek. Voor zover zij haar moeder kende, had ze verwacht dat die ertegenin zou gaan en met een dun mondje zou zeggen dat in haar huis haar regels golden. Dat was tenminste wat ze altijd tegen Tanja zei als die af wilde wijken van hun gebruikelijke dagindeling. Dat zat er trouwens zo ingehamerd dat zijzelf nooit tegen haar gastvrouw in zou durven gaan. Puur uit dankbaarheid omdat ze ergens mocht logeren, zou ze alles voor lief nemen en haar eigen wensen opzij zetten.

'Dat is nu precies het verschil tussen jou en mij,' zei Fay kalm nadat Tanja daar een opmerking over gemaakt had. Ze hadden gewinkeld en genoten nu van een maaltijd in een knus restaurant, waar ze vrijuit konden praten zonder dat Aafke zich overal mee bemoeide. 'Ik logeer bij jullie, dus natuurlijk hou ik rekening met je moeder, maar zij bepaalt niet wat ik met mijn dagen doe. Dat ik even bel zodat jullie niet nodeloos op me zitten te wachten is logisch, maar daar stopt het dan ook.'

'Jij bent net als Jos, jullie stellen heel duidelijk je grenzen,' zei Tanja. 'Ik wilde dat ik dat kon.'

'Dat is iets wat je aan kunt leren,' beweerde Fay. 'Het heeft ook met zelfvertrouwen te maken. Hoe zekerder jij van jezelf bent, hoe meer je voor je eigen mening uit durft te komen.'

'Ik durf best wel te zeggen wat ik denk en vind, dat is het probleem niet. Ik krijg alleen de kans niet om dat ook ten uitvoer te brengen. Neem nou dat klaverjassen met de buren. Ik heb al een paar keer gezegd dat ik dat helemaal niet leuk vind en dat ik daar geen zin in heb, maar ze luistert gewoon niet naar me. Ze walst eroverheen, zegt dat ik het vanzelf leuk ga vinden als ik het vaker doe, nodigt vervolgens die buren uit en verwacht simpelweg dat ik aan tafel kom zitten om mee te doen.'

'Wat jij dan ook doet.'

'Ik vind het niet belangrijk genoeg om er ruzie over te maken, wat er ongetwijfeld van komt als ik weiger. We wonen wel in één huis, ruzie bederft de sfeer alleen maar.'

'Ga dan verhuizen,' zei Fay simpel. 'Je bent volwassen, dat heb je zelf in de hand. Je hoeft je niet als een klein kind te laten behandelen als je dat zelf niet wilt.'

'Nog negen maanden,' zei Tanja daarop.

'Dat is geen verhuizen, dat is vluchten voor een bestaande situatie die je mede zelf gecreëerd hebt,' zei Fay scherpzinnig. 'Jouw moeder is bang om alleen te zijn, daarom domineert ze je zo. Ze houdt je klein en onmondig en bepaalt op die manier jouw leven. Als je dat zelf niet inziet, zal er ook niets veranderen.'

'Ik zie het wel, maar weet niet wat ik ertegen moet doen.' Tanja prikte met haar vork in haar eten. 'Ze vond het onzin dat wij samen uit eten gaan terwijl we ook gewoon thuis kunnen eten.

Als jij er niet geweest was, had ik nu braaf thuis aan tafel gezeten omdat ik me niet tegen haar gedrag kan verweren.'

'Omdat je de confrontatie niet aan durft te gaan,' verbeterde Fay haar fijntjes. 'En dat is toch iets wat je zult moeten leren.'

'Voor jou is dat waarschijnlijk niet zo moeilijk, maar ik ben anders.'

Fay legde haar bestek neer en keek haar vriendin aan. 'Denk je nou werkelijk dat ik me nooit onzeker voel?'

'Jij kan volgens mij alles aan. Je verhuist op stel en sprong naar Spanje en voelt je daar als een vis in het water. Je blaakt van het zelfvertrouwen en doet wat je zelf wilt. Jij zet je eigen wensen niet opzij ten behoeve van anderen.'

'Ik heb last van heimwee en heb ontzettend veel moeite om me aan te passen aan de andere leefstijl,' bekende Fay.

'Jij?' Tanja keek verbaasd op. Dit was het laatste wat ze verwacht had. 'Maar je zegt altijd…'

'Dat ik het naar mijn zin heb, ja. Dat is ook wel zo, want ik ben bij Jaime en dat is me alles waard, maar ik had het veel prettiger gevonden als hij in Nederland was komen wonen, zodat ik niet alles achter had hoeven laten. Je wilt niet weten hoe eenzaam ik me die eerste weken heb gevoeld, ik wilde alleen niet aan die gevoelens toegeven omdat dat niets oplost. Het was iets waar ik doorheen moest zien te komen. Tan, iedereen is op zijn tijd angstig en onzeker. Niemand wordt met zelfvertrouwen geboren, dat is iets wat je moet kweken door de ervaringen die je opdoet in je leven. Het enige verschil tussen jou en mij is dat ik geleerd heb die onzekerheid te maskeren en mezelf heb ontwikkeld tot een volwassen vrouw. Bij jou mankeert dat er soms nog wel eens aan.'

'En bedankt,' zei Tanja wrang.

Fay haalde haar schouders op. 'Ik zeg je niets wat je niet zelf al weet,' verklaarde ze rustig.

'Ga iets doen met je leven. Kom voor jezelf op, zoek een baan waar je voldoening in vindt en leer nieuwe mensen kennen. Ga niet af zitten wachten tot Jos je weghaalt. Het enige wat er dan gebeurt is dat je je leven naar hem gaat richten in plaats van

naar je moeder, dus daar schiet je niets mee op.'
'Jij hebt ook je leven ingericht naar Jaime,' zei Tanja.
'Dat is niet waar. Ik heb er bewust voor gekozen om naar zijn land te verhuizen, dat is mijn eigen beslissing geweest. Volgens mij vind jij die verhuizing naar Duitsland alleen maar handig omdat je dan zelf geen beslissingen hoeft te nemen over hoe je leven verder moet gaan. Je neemt niets in eigen hand en laat je meevoeren op alles wat er gebeurt.'
'Zoals jij het zegt klinkt het allemaal zo makkelijk,' zuchtte Tanja.
'Het hoeft niet moeilijk te zijn, met een beetje oefening en door te leren van je fouten. Je kunt het niet van de ene op de andere dag veranderen, maar je kunt er wel naartoe werken.'
'Dat heb ik geprobeerd door weer fulltime te gaan werken, maar dat is niet gelukt,' verdedigde Tanja zichzelf.
'Waarna jij het erbij hebt laten zitten,' vulde Fay met een klein lachje aan.
Ze werden onderbroken door het geluid van Tanja's mobiele telefoon. Ze was ervan overtuigd dat het haar moeder was, maar tot haar grote verbazing verscheen de naam van Judith op de display.
'Judith?' Ze fronste haar wenkbrauwen. 'Daar heb ik al maanden niets van gehoord.'
'Hoi Tan, met mij,' meldde Judith zich alsof ze elkaar gisteren nog gezien hadden. 'Luister, ik heb een probleempje. Mijn enkelbanden zijn gescheurd, dus ik kan niet lopen en mijn moeder ligt met griep op bed. Zou jij zo lief willen zijn om morgen wat boodschappen voor me te doen? Ik heb haast niets meer in huis. Als ik moet wachten tot mijn moeder beter is, verhonger ik.' Ze lachte klaterend. 'Ja, wil je dat doen voor me?'
'Natuurlijk,' antwoordde Tanja automatisch. 'Zeg maar wat je wilt hebben, dan breng ik het morgenmiddag even langs.'
'Liever in de ochtend, sinds ik mijn dagen op de bank doorbreng volg ik 's middags allerlei soaps op televisie.'
'Om half elf?' stelde Tanja voor. Ze pakte een pen en een stukje papier en noteerde de boodschappen die Judith graag wilde hebben.

'Je bent een schat,' zong Judith voor de verbinding werd verbroken.

'Judith heeft haar enkelbanden gescheurd, ze vroeg of ik boodschappen voor haar wilde doen,' rapporteerde Tanja aan Fay.

'Ze had van mij de pot op gekund,' reageerde die kort en bondig. 'Je bent gek dat je je voor haar karretje laat spannen.'

'Ze kan niet lopen en voor mij is het een kleine moeite. Voor jezelf opkomen betekent niet dat je andere mensen moet laten barsten als ze je nodig hebben,' verdedigde Tanja zichzelf. Zelf had ze ook gemengde gevoelens bij het verzoek van Judith na maandenlange radiostilte, maar 'ja' zeggen op ieder verzoek wat haar gedaan werd zat er zo bij haar ingebakken dat het niet bij haar opgekomen was om te weigeren, ook al had ze geen enkele steun van Judith gekregen in de moeilijke laatste maanden. Maar in een vriendschap hoefde je gunsten niet tegen elkaar af te wegen.

'Heeft ze je ooit gebeld sinds je vader weg is gegaan en sinds je relatie met Benjamin over is?' vroeg Fay, hoewel ze het antwoord daarop al wist.

'Judith is niet zo bellerig,' zei Tanja ontwijkend.

'Als ze je nodig heeft weet ze anders prima hoe ze haar mobiel moet gebruiken. Ze barst van de kennissen en de vriendjes, maar die geven waarschijnlijk niet thuis nu, dus mag jij weer op komen draven. Tot ze straks weer rondhuppelt, dan kan je weer barsten.'

Tanja gaf hier geen weerwoord meer op. Ze borg het briefje in haar tas en stond op. 'Zullen we gaan? Ik wil de nieuwe kleren passen die ik vanmiddag heb gekocht. Ik ben benieuwd hoe die rode rok me staat,' veranderde ze van onderwerp. Het was niet erg bemoedigend om voortdurend te moeten horen dat ze zich opstelde als een voetveeg en dus ook als zodanig behandeld werd, al wist ze dat Fay gelijk had.

De dag erna was het vrijdag. Ondanks dat ze het er niet mee eens was, vergezelde Fay Tanja naar de supermarkt om de boodschappen voor Judith te halen, maar ze bleef in de auto wachten toen Tanja ze naar binnen bracht.

'Ik heb geen enkele behoefte aan een ontmoeting met Judith,' zei ze kalm. 'Je weet hoe ik over haar denk.'

'Ze is oppervlakkig, maar tegelijkertijd is ze nog wel de enige vriendin die ik heb. Jij bent weggegaan en Claudine.... Nou ja, laten we het daar maar niet over hebben,' reageerde Tanja.

'Dan wordt het hoog tijd dat je nieuwe vriendschappen aanknoopt. Die Jos van je heeft toch een leuke vriendengroep?'

'Die zie ik minder dan ik zou willen. Hij is momenteel alleen de weekenden hier en hij brengt die schaarse vrije tijd graag met mij alleen door.'

'En met je moeder, niet te vergeten,' kon Fay niet nalaten enigszins hatelijk op te merken. 'Maar als jij meer contact met die mensen wilt, kan je toch zelf het initiatief nemen? Vraag hun telefoonnummers en bel eens op om iets af te spreken. Je bent niet alleen afhankelijk van Jos, hoor.'

'Dat staat zo opdringerig,' weerde Tanja dat af. 'Ik wil niet overkomen als het zielige, eenzame meisje dat zelf geen vrienden kan vinden en zich daarom opdringt aan de vrienden van haar partner.'

'Je moet niet voor anderen denken. Misschien vinden ze het hartstikke leuk als je uit jezelf wat meer aansluiting zoekt,' zei Fay vriendelijk. 'Je bent de moeite waard, Tanja. Tenslotte ben ik niet voor niets al sinds mensenheugenis je vriendin,' liet ze er hartelijk op volgen terwijl ze Tanja een kneepje in haar arm gaf. 'Je bent een geweldige meid, die altijd voor iedereen klaarstaat. Een mens kan met jou lachen, huilen en praten, die combinatie vind je niet vaak. Schat jezelf niet te licht in.'

'Jij bent bevooroordeeld,' grijnsde Tanja. 'Nou, gaan we die computer nog kopen of niet? Voor we het weten ben je weer weg en ik geef je echt de kans niet om onder dat klusje uit te komen.' Ze stopte de wagen voor een groot bedrijf in elektronica en samen zochten ze een computer uit die aan haar bescheiden wensen voldeed.

In een mum van tijd sloot Fay het hele zaakje thuis aan, inclusief een draadloze internetverbinding, waarvoor Tanja de benodigdheden meteen had aangeschaft. Het grote huis van haar moeder bevatte genoeg lege kamers, dus de computer hoefde niet in de huiskamer te staan.

'Zo, dat is gepiept,' zei Fay tevreden. 'Nu kunnen we voortaan tenminste weer communiceren. Ik verwacht veel mail van je, hoor. Er zijn zoveel verwikkelingen in jouw leven, ik wil wel precies op de hoogte gehouden worden van alle details.'

'Nou, daar kan ik hele boeken over schrijven, dus ik hoop dat je genoeg vrije tijd hebt,' grinnikte Tanja.

'Heb je onlangs nog iets van je vader gehoord?' informeerde Fay.

'Eén keer. We kregen ruzie nadat ik Claudine een afgelikte boterham noemde die het tijd vond worden om haar financiële toekomst veilig te stellen,' bekende Tanja. 'Dat is nu ruim een maand geleden.'

'Vind je dat erg?'

'Ja. Hij blijft toch mijn vader, ook al ben ik het niet eens met wat hij doet. Ik mis hem, aan de andere kant hoef ik hem niet te zien met Claudine erbij. In dit huis is hij zeer zeker niet welkom, dus blijven restaurants of het park over voor een ontmoeting en dat vind ik zo armoedig. Dan wordt het ook zo gedwongen, heel anders dan wanneer je gewoon even bij elkaar aanloopt.'

'Stuur hem een mail,' stelde Fay voor. 'Op die manier verlies je het contact toch niet helemaal en vaak is het makkelijker om je gedachten op te schrijven dan uit te spreken.'

'Misschien ga ik dat wel doen,' knikte Tanja. Spontaan omhelsde ze Fay. 'Ik vind het zo heerlijk om je weer te zien, het nadeel is echter dat ik je nu nog veel erger ga missen als je weer weg bent. Kan Jaime echt geen baan in Nederland vinden?'

'Ja, leuk. Dan wonen wij straks hier terwijl jij in Duitsland bivakkeert,' spotte Fay. 'Dat heeft nut, zullen we zeggen. Nee dame, je zult het zonder mijn directe aanwezigheid moeten doen. Ik leef lekker mijn leven in Spanje en jij gaat er hier wat van maken, samen met Jos. Ik ben trouwens reuze benieuwd naar hem. Hoe laat komt hij?'

'Over een uurtje,' antwoordde Tanja met een blik op de klok.

Gearmd togen de twee vriendinnen naar de keuken om aan de voorbereidingen voor het avondmaal te beginnen. In de paar dagen dat Fay er was, had ze Tanja in ieder geval heel wat stof tot nadenken gegeven.

HOOFDSTUK 16

'Wil jij een grote bruiloft?' vroeg Jos. Ze zaten samen in zijn auto en bewonderden het vuurwerk dat afgestoken werd ter gelegenheid van een groot nazomerfeest.

Tanja keerde zich naar hem toe. 'Is dit een huwelijksaanzoek?' wilde ze weten.

'Eigenlijk wel, ja.' Hij nam haar hand in de zijne. 'Ik ben helemaal niet goed in dit soort dingen.'

'Dat blijkt wel. Zou je me niet eerst vragen of ik wel wil trouwen?' Ze plaagde hem nu bewust.

'Ik mag toch hopen dat ik dat wel goed heb ingeschat, na de afgelopen maanden.' Glimlachend nam hij haar gezicht tussen zijn handen. Achter hen ging het vuurwerk onverminderd door. Gele en rode lichtflitsen verlichtten de hemel. 'Maar goed dan. Lieve Tanja, wil je met me trouwen?'

Tanja hield haar adem in. Een huwelijksaanzoek was niet wat ze verwacht had toen hij haar mee had gevraagd om samen naar het vuurwerkspektakel te kijken. De datum waarop Jos naar Duitsland moest verhuizen naderde met rasse schreden en hoewel het vaststond dat zij met hem mee zou gaan, was ze er eigenlijk zonder meer van uitgegaan dat ze daar zouden gaan samenwonen. Trouwen klonk zo… Zo definitief. Zo gebonden. Ze was er niet zeker van of dat was wat ze wilde, toch kwam het niet in haar hoofd op om nee te zeggen. Ze hielden van elkaar en wilden samen verder door het leven, er was geen enkele reden om dit aanzoek af te wijzen.

'Ja, natuurlijk,' was haar gefluisterde antwoord dan ook. Er volgde een lange kus. Tanja probeerde zich daaraan over te geven, maar ondertussen werkten haar hersens op volle toeren. Dit had haar echt overvallen. Gek genoeg was de gedachte aan een huwelijk nooit bij haar opgekomen. Hun relatie was intens, maar niet heel harmonieus. De afwijzende houding van Aafke ten opzichte van Jos en Tanja's, volgens hem, lafhartige reacties daarop zorgden voor behoorlijk veel spanning tussen hen. Soms laaiden de ruzies zelfs hoog op, hoewel het altijd ook weer snel goedgemaakt werd. En ach, als ze eenmaal getrouwd waren en in het buitenland woonden, behoorden deze ruzies vanzelf tot het verleden. Aafke was dan tenslotte niet meer de persoon die haar leven probeerde te bepalen, maar haar moeder die slechts af en toe een paar dagen kwam logeren. Haar afkeurende opmerkingen over Jos en de speldenprikken die ze regelmatig uitdeelde, zouden ongetwijfeld ook stoppen als de bruiloft eenmaal een feit was, hiëld Tanja zichzelf voor.

'Je hebt nog geen antwoord gegeven op mijn vraag,' haalde Jos haar uit haar gedachten. 'Wil je een grote bruiloft?'

'Weet ik niet. Daar heb ik eigenlijk nooit over nagedacht,' antwoordde Tanja eerlijk.

'Echt niet?' Verbaasd keek hij haar aan. 'Dan ben jij de beroemde uitzondering. Ik dacht dat ieder meisje over haar bruiloft fantaseerde.'

'Ik heb me altijd meer beziggehouden met mijn toekomstige huizen,' lachte ze.

'Voor mij persoonlijk hoeft het niet zo groots aangepakt te worden, maar als jij wel een groot feest wilt, krijg je dat,' beloofde hij haar.

'Ik ben niet zo feesterig aangelegd. We kunnen met onze familieleden en enkele goede vrienden naar het stadhuis gaan en daarna met z'n allen ergens gaan eten,' stelde Tanja voor. 'Een receptie vind ik onzin en al die poespas met speciale trouwauto's en dergelijke zie ik ook niet zo zitten. Dat is alleen maar leuk als je er echt een hele happening van wilt maken.'

'Dus we houden het klein. In dat geval is het ook sneller allemaal te regelen en kunnen we dus over een maand getrouwd zijn,' zei Jos.

'Over een maand? Je hoeft pas over drie maanden weg,' schrok Tanja.

'Waarom zouden we nog langer wachten als we dit allebei graag willen? Ik ben volkomen zeker van mijn gevoelens voor jou, daar maken die twee maanden geen verschil in.'

Dit klonk zo logisch dat Tanja daar niets tegenin kon brengen. Eigenlijk was het ook wel aanlokkelijk. Vanaf hun bruiloft tot aan de dag van vertrek kon ze bij Jos intrekken, zodat de overgang voor haar moeder dan ook niet zo heel erg groot was. Op deze manier kon ze er vast aan wennen dat Tanja niet meer bij haar woonde zonder dat ze meteen zo ver weg was.

'Goed, dan trouwen we over een maand,' zei ze met een glimlach terwijl ze hem in de krappe omlijsting van de auto omhelsde.

Het vuurwerk was inmiddels afgelopen en de parkeerplaats stroomde langzaam leeg.

'Ga je nog mee naar binnen?' vroeg Tanja toen Jos de auto voor haar ouderlijk huis stopte.

Hij schudde zijn hoofd. 'Vertel jij je moeder het goede nieuws maar alleen. Ze zal er toch al niet blij mee zijn, dat maak ik alleen maar erger met mijn aanwezigheid.'

'Dat zal best meevallen. Ze wil dat ik gelukkig ben,' sprak Tanja met meer vertrouwen dan ze voelde.

Ondanks het late tijdstip was Aafke nog wakker. Ze zat in een grote stoel voor zich uit te staren en schrok op bij Tanja's binnenkomst.

'Jos en ik gaan trouwen,' viel Tanja met de deur in huis. 'Volgende maand. Ik trek bij hem in in zijn flat tot we naar Duitsland verhuizen.'

'Trouwen? Wat ouderwets,' was Aafkes reactie. Ze trok er een afkeurend gezicht bij. 'Wat is er mis met samenwonen? Dan heb je tenminste niet de hele rompslomp van een scheiding als het misgaat.'

'Het gaat niet mis,' zei Tanja scherp. 'Waarom blijf je er toch steeds op hameren dat Jos niet de goede man voor mij is? Wat heb je tegen hem?'

'Hij past niet bij je. Bij Benjamin heb ik dat ook al gezegd en daar bleek ik gelijk in te hebben.'

'Je wilt alleen niet dat ik met hem trouw omdat we zo ver weg gaan wonen. Jij wilt het liefst dat ik een man zoek die hier bij ons in wil trekken,' zei Tanja beschuldigend. 'Maar ik ben volwassen, mam, ik neem mijn eigen besluiten. Dit huwelijk gaat door, of jij het ermee eens bent of niet.' Ze voelde zich ineens wonderlijk sterk en vastbesloten om zich niet te laten leiden door Aafkes argumenten. Het voelde in ieder geval goed om dit te zeggen, al stond ze inwendig dan te trillen als een rietje.

'Ik zal je absoluut niet tegenhouden, al vind ik het niet verstandig,' zei Aafke waardig. Ze stond op en wankelde even.

'Wat is er?' schrok Tanja alweer. Ze snelde toe om haar moeder vast te pakken.

'Ik ben een beetje duizelig. Niets ernstigs, waarschijnlijk ben ik alleen te snel opgestaan. Ja kind, je moeder is geen jonge blom meer en ouderdom komt met gebreken,' zei Aafke gelaten. 'Ik ga naar bed. Sorry dat ik geen glas champagne met je drink om je voorgenomen huwelijk te vieren, maar ik ben het hier dan ook niet mee eens. Welterusten.'

Moedeloos liet Tanja zich op de bank zakken. Ze had kunnen weten dat Aafke zo zou reageren, toch was het een domper. Je trouwde nu eenmaal niet iedere dag en het zou prettiger geweest zijn als haar moeder deze mededeling wat feestelijker had ontvangen. Aafkes tegenwerking sterkte haar echter in haar mening dat ze het goede besluit had genomen. Strijdvaardiger dan ooit nam Tanja zich voor dat ze haar moeder geen enkele kans zou geven om hiertussen te komen. Ze trouwde met Jos, hoe dan ook!

In een sneltreinvaart werden alle regelingen getroffen. De huwelijksdatum werd vastgesteld op vijf oktober en op drie januari, direct na alle feestdagen, zouden ze naar Duitsland vertrekken. Jos wist een goed restaurant waar ze met hun gasten, veertien personen in totaal, in een apart zaaltje het diner konden nuttigen. Ze hadden beiden niet veel familieleden, dus het gezelschap was niet groot. Voor Jos' vrienden van de volleybalvereniging zouden ze een apart feest geven in de kantine, een week na de officiële bruiloft. Tanja had haar vader een uitnodiging gestuurd met een begeleidend briefje erbij waarin ze verklaarde dat ze heel graag wilde dat hij op haar grote dag aanwezig zou zijn, maar dat Claudine niet welkom was. Buiten het feit dat ze er totaal geen behoefte aan had om haar vroegere vriendin aan de zijde van haar vader te zien, wilde ze Aafke de confrontatie met haar veel jongere opvolgster besparen. Ze was al blij dat Aafke geen enkele negatieve opmerking had gemaakt over het feit dat ze Gerbrand er graag bij wilde hebben. Hij was toch haar vader en hij hoorde erbij op deze dag, ondanks alles wat er voorgevallen was. Aafke leek daar begrip voor te hebben en had zelfs beloofd geen ruzie met hem te maken.

'Als je maar niet verwacht dat ik lief en aardig tegen hem doe,' had ze Tanja gewaarschuwd. 'Verder dan beleefd ga ik niet.'

Met deze toezegging was Tanja al heel erg blij geweest. Eigenlijk had ze min of meer verwacht dat Gerbrand de uitnodiging zou weigeren als Claudine niet welkom was, maar tot haar vreugde belde hij haar een week voor de bruiloft op om te zeggen dat hij graag wilde komen.

'Ik zou het voor geen prijs willen missen,' zei hij ernstig.

'Ben je niet kwaad omdat ik Claudine er niet bij wil hebben?' vroeg Tanja toch een beetje angstig. Ook al stond haar besluit wat dat betrof vast, ze wilde er geen ruzie om.

'Daar heb ik begrip voor, al ben ik er niet blij mee,' was Gerbrands antwoord. 'Ik zou toch heel graag willen dat we eens met z'n allen om de tafel gaan zitten om te praten, het liefst voordat je vertrekt. Deze situatie stemt me niet gelukkig, Tanja.'

Ze hield de opmerking dat dit zijn eigen schuld was binnen en beloofde daarover na te denken, al wist ze bij voorbaat dat ze daar nog lang niet aan toe was. Wellicht zou dat moment zelfs nooit komen. Claudine had haar enorm gekwetst met haar aandeel in dit geheel, vooral omdat het allemaal zo stiekem was gegaan. Aan de andere kant wilde ze het contact met Gerbrand niet verbreken. Hij was haar vader en ze hield van hem, al was ze niet blind voor zijn fouten.

Ze had nog maar net de verbinding met hem verbroken toen haar telefoon opnieuw overging. Judith, zag ze. Na lang aarzelen had ze haar ook een uitnodiging gestuurd, ondanks het feit dat ze niets meer van haar had gehoord nadat haar voet genezen was, precies zoals Fay al voorspeld had. Waarschijnlijk belde ze nu om te vertellen dat ze de kaart had ontvangen en om te zeggen dat ze zou komen. Judith kennende zou ze vragen of ze een partner mee mocht brengen, want ze zat nooit lang zonder vriend. Meestal ruilde ze de ene in voor de andere.

'Hoi Tan, wil je iets voor me doen?' klonk ze vrolijk als altijd.

'Ik moet mijn auto naar de garage brengen voor de grote beurt en de keuring, maar het openbaar vervoer vanaf die garage naar mijn huis is een ramp. Wil jij achter me aan rijden en me terug naar huis brengen? Ik weet dat je vrij bent vandaag.'

'Wat overigens niet wil zeggen dat ik niets te doen heb,' weerlegde Tanja die opmerking. 'Ik ben namelijk een bruiloft aan het regelen.'

'O ja, ik kreeg je kaart,' zei Judith nonchalant. 'Het wordt geen al te groot feest, hè? Veel werk zul je daar niet aan hebben. Ik weet trouwens nog niet of ik kom, dat hangt van Jeffrey af, mijn vriend. Hij houdt niet zo van bruiloften, zeker niet als hij er niemand kent. Nou, doe je het? Ja hè? Ik weet dat ik altijd op jou kan rekenen.'

'Vanaf nu niet meer,' zei Tanja langzaam. Ze kon zelf amper geloven dat ze dat zei. Ze was nooit te beroerd om iemand te helpen, zelfs niet als die iemand nooit iets terugdeed, maar dit keer ging Judith werkelijk te ver. De nonchalante manier waarop ze haar bruiloft afdeed als iets totaal onbelangrijks kwam als een mokerslag bij Tanja aan. 'Je zult toch de bus terug moeten nemen en anders bel je die geliefde Jeffrey maar of hij je komt halen. Ik doe het in ieder geval niet.'

'Wat krijgen we nou?' vroeg Judith verbaasd. Dit had ze duidelijk niet verwacht. 'Wat is er ineens in jou gevaren? Dit is toch een grapje, mag ik aannemen?'

'Absoluut niet,' zei Tanja hard. 'Ik laat me niet langer gebruiken als jouw voetveeg. Je kunt mijn telefoonnummer alleen draaien als je iets nodig hebt. Voor de rest hoor ik je nooit.'

'We zijn vriendinnen. Onder vriendinnen moet het kunnen dat...'

'We zijn geen vriendinnen,' onderbrak Tanja haar. 'Dit heb ik mezelf namelijk ook lang voorgehouden, dat onder vriendinnen de gunsten niet tegen elkaar afgewogen hoeven worden. Maar vriendschap komt van twee kanten en dat is bij ons niet het geval. Vriendinnen vinden het vanzelfsprekend om op elkaars bruiloft te komen, ongeacht wat hun vriendjes daarvan zeggen.'

'O, dus dat is het? Je bent kwaad omdat ik niet onmiddellijk juichend aan je nek hang omdat je trouwt?' vroeg Judith sarcastisch.

'Dat bedoel ik niet, maar als je me niet begrijpt heeft het weinig nut om het uit te leggen.'

'Bekijk het maar,' zei Judith beledigd. 'Nu kom ik zeker niet. Dit had ik nooit achter jou gezocht, Tanja. Je valt me zwaar tegen.'

'Mooi,' zei Tanja vinnig. Ze sprak echter tegen een dode lijn, want Judith had de verbinding al verbroken. Ze was er niet eens rouwig om. Een paar maanden geleden zou ze zich uitgeput hebben in verontschuldigingen om haar maar vooral als vriendin te houden. Sterker nog, een paar maanden geleden zou het niet in haar hoofd opgekomen zijn om Judiths verzoek, dat meer weg had van een bevel, te weigeren, ongeacht wat ze over haar bruiloft te zeggen had. Toen zou ze zich in allerlei bochten gewrongen hebben om maar vooral geen ruzie te maken. Dat ze deze keer niet over zich heen had laten lopen, gaf Tanja een voldaan gevoel. Aan vriendinnen als Judith had ze niets, dat zag ze nu wel in. Het was jammer dat zij niet naar Spanje geëmigreerd was in plaats van Fay. Dat die niet in staat was om over te komen voor de bruiloft vanwege een hernia in haar rug, was haar enige domper op de komende dag.

'Wat sta jij daar wezenloos naar je telefoon te staren?' vroeg Aafke, die de kamer binnen kwam. Ze liep onzeker; het viel Tanja niet voor het eerst op. Haar moeder leek de laatste tijd zichzelf niet te zijn. Ze had af en toe last van duizelingen en soms leek het zelfs wel of ze doof aan het worden was.

'O niets, dat was Judith.' Resoluut klapte Tanja haar telefoon dicht. Dit hoofdstuk was voorgoed afgesloten, evenals het hoofdstuk Claudine. Gelukkig had ze de vrienden van Jos nog over, anders zou ze wel erg eenzaam worden. 'Ze komt niet op de bruiloft.'

'Daar zal je niet veel aan missen. Dat meisje is door en door egoïstisch,' meende Aafke. Het klonk niet zo afkeurend als normaal, eerder een beetje gelaten.

'Voel jij je wel goed?' vroeg Tanja impulsief.

Aafke beet op haar onderlip. Even leek het erop of ze zou gaan huilen.

'Niet echt,' zei ze langzaam. 'Al een tijdje niet, eigenlijk. Soms lijkt het net of ik dronken ben, zo loop ik dan te waggelen. Ik ben ook vaak misselijk.'

'Dan ga je morgen meteen naar de dokter,' zei Tanja resoluut. Ongerust keek ze naar het bleke gezicht van haar moeder. Was dat altijd zo wit of verbeeldde ze zich dat nu? Aafke was nooit ziek. Ze had zelfs nooit last van een simpele verkoudheid en als ze wel eens hoofdpijn had of zich wat grieperig voelde, praatte ze daar niet over. Dat ze nu toegaf dat ze zich niet goed voelde, was voor Tanja het bewijs dat er wel degelijk iets aan de hand was met haar. Ze bracht haar de volgende dag persoonlijk naar de huisarts toe, al bleef ze in de auto wachten tot Aafke weer naar buiten kwam, omdat haar moeder er geen prijs op stelde dat ze meeging naar binnen.

'Ik ben geen klein kind, ik ben prima in staat om zelf een gesprek met de dokter aan te gaan,' had ze afwijzend op Tanja's voorstel om haar te vergezellen gezegd.

Gespannen wachtte Tanja op haar terugkomst, ongeruster dan ze zichzelf toe wilde geven.

'En?' vroeg ze meteen nog voordat Aafke goed en wel in was gestapt.

'Hij kan er weinig van zeggen. Ik moet naar een neuroloog,' antwoordde ze. 'Morgen al. Hij heeft meteen telefonisch een afspraak voor me geregeld.'

'Een spoedafspraak,' begreep Tanja. Een angstig voorgevoel bekroop haar. Als er maar niets ernstigs aan de hand was. Die huisarts regelde dit niet voor niets zo snel.

De dag erna moest ze werken, maar ze kon het zo regelen dat ze wat vroeger weg kon, zodat ze op tijd was om Aafke bij het ziekenhuis op te halen nadat ze de nodig onderzoeken had ondergaan. Ze zat op een bankje in de hal te wachten, dof voor zich uit starend. De schrik sloeg Tanja om het hart. Dit zag er niet best uit.

'Mam. Mam!' Ze moest Aafke twee keer roepen voor die opkeek. 'Is het ernstig?' vroeg Tanja moeizaam

Langzaam schudde Aafke haar hoofd. 'Niet ernstig in de zin dat ik eraan doodga, maar wel heel vervelend. Ik heb een labyrint-ontsteking.'

'Een wat?' Hier had Tanja nog nooit van gehoord. Vaag wist ze dat het labyrint ergens in het oor zat, meer verstand had ze er niet van.

'Een labyrintontsteking,' herhaalde Aafke. 'Ik heb medicijnen tegen de duizeligheid en de misselijkheid gekregen en antibiotica om de ontsteking te bestrijden.'

'Dat klinkt alsof het allemaal wel meevalt,' constateerde Tanja opgelucht.

'Dat is nog niet alles.' Aafke keek haar niet aan. 'Ik moet minstens een week in bed blijven van die dokter, want rust is heel belangrijk voor het genezingsproces. Als dat niet helpt volgt er een operatie, dus ik ben echt wel van plan om die rust inderdaad te nemen. Het spijt me, Tanja.'

De gedachten tolden door Tanja's hoofd heen bij dit nieuws. Minstens een week. Ze trouwde over vijf dagen... Een heel klein stemmetje in haar hoofd probeerde haar te vertellen dat het wel heel erg toevallig was dat dit precies nu gebeurde. Aafke had nooit onder stoelen of banken gestoken dat ze het niet met de bruiloft eens was, maar ze zou toch niet...? Tanja durfde niet eens verder te denken.

'Het geeft niet,' zei ze automatisch terwijl ze Aafke overeind hielp. 'Daar verzinnen we wel iets op. Jouw gezondheid is nu het belangrijkste.'

Die woorden meende ze oprecht. Als het nodig was zou ze die hele bruiloft zo afblazen, zonder aarzelen. Het stemmetje in haar hoofd bleef zich echter hardnekkig afvragen of het wel echt nodig was. Tanja haatte zichzelf erom, maar zodra ze haar moeder thuis in bed had geïnstalleerd en haar de benodigde medicijnen had gegeven, kroop ze achter de computer en zocht ze via een zoekmachine het trefwoord labyrintontsteking op. De voorvallen met de val van de trap en de paniekaanval zaten nog vers in haar geheugen. Allebei die keren bleek er achteraf niets aan de hand te zijn, behalve dan dat zij er ruzie met haar partners door had gekregen. Koortsachtig scrolde ze langs de informatie die op het beeldscherm verscheen. Alle symptomen klopten, zag ze meteen. Duizelingen, gehoorverlies, een verminderd evenwichtsgevoel, misselijkheid. De medicijnen die Aafke gekregen had pasten ook in dit plaatje. Tanja's hart sloeg even over toen ze zag staan wat ze zocht. Complete bedrust. Ze ademde diep uit, besefte toen pas dat ze haar adem al die tijd ingehouden had. Dus toch! Haar moeder had dit in ieder geval niet verzonnen om de bruiloft te saboteren, waar ze toch even bang voor was geweest.

Niet goed wetend of ze opgelucht of teleurgesteld moest zijn, schakelde Tanja de computer uit. Hier was geen twijfel over mogelijk. De bruiloft moest worden uitgesteld.

HOOFDSTUK 17

'Dit meen je niet. Dit kun je absoluut niet menen! Dat is werkelijk belachelijk, Tanja. Het slaat totaal nergens op!' Rusteloos liep Jos door de kamer heen en weer. Zijn ogen spoten vuur en zijn handen waren tot vuisten gebald. Tanja was naar hem toe gegaan om hem te vertellen dat de bruiloft uitgesteld moest worden. Zijn eerste reactie was schrik, daarna verbazing en uiteindelijk, nadat ze hem de reden verteld had, woede.

'Ze is ziek, Jos,' zei Tanja kalm.

'Ga toch weg.' Hij maakte een verachtelijk gebaar met zijn arm. 'Jij blijft er ook maar intrappen, hè? Ze heeft van het begin af aan duidelijk gemaakt dat ze het niet met ons huwelijk eens is, dus het is voor mij zonneklaar dat ze liegt. Dit is weer zo'n truc om haar zin te krijgen, net als al die andere keren dat jij meteen op kwam draven als ze floot. Dit is mij echt té toevallig en ik begrijp niet dat jij dat zelf niet inziet. Wanneer leer je het nu eens?'

'Ik woon met mijn moeder in één huis, ik kan toch echt wel bepalen of ze echt ziek is of niet,' reageerde Tanja vinnig. Ze had zich voorgenomen om rustig te blijven, maar ze hoefde ook niet alles over haar kant te laten gaan.

'O, ze zal best ziek zijn. Het is oktober en buiten is het koud en nat, dus de halve wereld is verkouden, maar van die bedrust is natuurlijk totale onzin. Kom op, zeg! Een labyrintontsteking?' Hij snoof minachtend. 'Dat is dus gewoon een soort oorontsteking. Daarvoor wordt antibiotica voorgeschreven en met een extra paracetamol kun je dan prima functioneren. Dat gedeelte van die bedrust verzint ze gewoon waar je bij staat.'

'Niet waar.' Tanja bleef geduldig, al voelde ze al haar spieren in haar lijf steeds strakker aanspannen. 'Ik heb dit zelf namelijk ook gedacht, dus ben ik gaan speuren op internet. Alles wat ze zegt klopt, ook die bedrust.'

'In dat geval twijfel ik er heel erg aan of ze werkelijk ziek is of dat ze dit ook heeft opgezocht om daarna alle symptomen te simuleren.'

'Nu ga je wel heel erg ver,' zei Tanja kwaad. 'Ik ben de eerste om toe te geven dat mijn moeder manipulatief is en graag de zaken wat overdrijft om alles naar haar hand te zetten, maar wat je nu suggereert is belachelijk. Ze loopt al weken te tobben met haar gezondheid.'

'Maar we weten allebei dat ze heel goed toneel kan spelen.' Jos staakte zijn geijsbeer en keek Tanja onderzoekend aan. 'Ben jij mee geweest naar die dokter? Naar binnen, bedoel ik. Was je aanwezig bij de onderzoeken? Heb je erbij gezeten toen de diagnose gesteld werd? Nee? Dat bedoel ik.' Hij lachte even triomfantelijk. 'Ze kan alles zomaar uit haar duim gezogen hebben. Bij dat ziekenhuisbezoek heb je haar alleen maar opgehaald. Waarschijnlijk had ze helemaal geen afspraak en heeft ze daar alleen maar op dat bankje gezeten tot jij kwam, om vervolgens het hele verhaal te verzinnen.'

'Hou op,' waarschuwde Tanja hem. 'We praten hier wel over mijn moeder, vergeet dat niet.'

'Een moeder die er nog nooit voor heeft teruggedeinsd om ten koste van alles haar zin door te drijven. Ze wil niet dat jij met mij trouwt, dus doet ze alles om dat tegen te gaan.'

'Het was niet mijn bedoeling om onze bruiloft af te blazen, ik wil hem alleen maar uitstellen tot ze beter is.'

'Zodat ze vervolgens weer iets anders kan verzinnen, iets waar jij weer meteen intrapt?' Jos schudde zijn hoofd. 'Nee Tanja, daar pas ik voor. Je zult toch echt een keer tussen je moeder en mij moeten kiezen. Die keus had ik je graag willen besparen, maar ze heeft het er zelf naar gemaakt. We trouwen gewoon op vijf oktober of we trouwen helemaal niet.'

Tanja staarde hem aan alsof hij voor haar ogen in een monster veranderde. Zo voelde het ook een beetje. Deze Jos kende ze niet. Hij was altijd standvastig en consequent, maar in dit geval had ze geen seconde verwacht dat hij zo zou reageren. Dat hij teleurgesteld was vond ze logisch en dat hij Aafke niet meteen geloofde vond ze ook niet vreemd, gezien het verleden, maar deze starre opstelling sloeg alles.

'Aangezien ik totaal geen twijfels meer heb over haar gezondheidstoestand, is die keus voor mij niet zo moeilijk,' zei ze langzaam, zoekend naar de juiste woorden. 'Zoals jij je nu opstelt,

159

wil ik niet eens meer met je trouwen. Ik ben alleen maar blij dat ik voor ons huwelijk achter je ware aard ben gekomen en niet daarna.'

Geschrokken pakte Jos haar vast. Op dit antwoord had hij niet gerekend, hij was er vast van overtuigd geweest dat Tanja zonder aarzelen voor hem zou kiezen.

'Zo bedoelde ik het niet,' zei hij haastig.

'Ik wel,' gaf Tanja daar kalm op terug. Ze voelde niets op dat moment, wist alleen heel zeker dat ze de juiste beslissing nam. 'Hierbij verbreek ik onze relatie.'

'Dat kun je niet menen. Dat gaat zomaar niet, Tanja. Hier moeten we over praten.'

Ze lachte vreugdeloos. 'Praten? Dat heb ik net geprobeerd, maar dat bleek onbegonnen werk te zijn. Je hebt me geen enkele kans gegeven tot een normaal gesprek.'

'Ik schrok van je mededeling.'

'Geloof je me als ik je zeg dat mijn moeder werkelijk ziek is en dit niet verzint?' Tanja keek hem recht aan. Hij aarzelde voor hij een antwoord gaf en dat was voor haar genoeg. 'Dat betekent dus dat je mij ook niet serieus neemt,' was haar conclusie.

'Tanja, alsjeblieft.' Jos wilde haar tegenhouden, maar ze schudde zijn handen van zich af.

'Het is over, Jos. Ik hoop dat het je goed gaat in Duitsland en dat je ooit heel gelukkig zult worden, maar dat zal niet met mij zijn.'

Met haar hoofd fier omhoog liep ze zijn flat uit. Gelukkig deed hij geen enkele moeite om achter haar aan te komen, want haar knieën begonnen nu toch wel verdacht te trillen. Met haar handen op het stuur geleund bleef Tanja lange tijd bewegingloos in de auto zitten. Dit was het dus, het definitieve einde van een relatie die zo mooi begonnen was en waar ze zich zoveel van had voorgesteld. Waarom was ze dan niet heel erg verdrietig? Misschien zou dat nog komen, maar op dit moment voelde ze zich alleen maar heel erg leeg. Ergens diep binnen in haar was zelfs een klein spoortje opluchting. Het had haar geen enkele moeite gekost om deze beslissing te nemen na het ultimatum van Jos, ze had niet eens getwijfeld. Waarschijnlijk zei dat genoeg over haar ware gevoelens voor hem, kon Tanja nuchter denken. Hoewel ze echt had gedacht dat ze van hem hield. Tenslotte had ze niet voor niets ingestemd met een huwelijk, hoewel die vaste verbintenis voor haar nog niet echt had gehoeven. Enfin, dat huwelijk was nu dus van de baan, evenals de verhuizing naar Duitsland. Aafke zou daar wel blij mee zijn. Bij de gedachte aan haar moeder startte Tanja haar auto. Ze wilde haar niet langer alleen laten dan nodig was, want haar moeder was behoorlijk ziek van die ontsteking en de bijwerking van de medicijnen die ze gekregen had. Onder deze omstandigheden kwam het goed uit dat zij, Tanja, bij haar woonde en ze niet alleen was, want ze had echt iemand nodig om voor haar te zorgen. Toch zou dat eens moeten veranderen. Aafke zou er ongetwijfeld als vanzelfsprekend van uitgaan dat ze bij haar zou blijven wonen nu de bruiloft van de baan was, maar dat was niet wat Tanja wilde. Het werd tijd dat ze haar vleugels uit ging slaan en zelfstandig ging wonen. Het huwelijk met Jos was daar dé gelegenheid voor geweest, nu dat niet doorging moest ze het op een andere manier verwezenlijken. Tanja hoopte alleen dat ze sterk genoeg zou zijn om tegen Aafke in het geweer te komen. Haar moeder zou het niet met deze plannen eens zijn, dat was wel zeker. Met haar aangeboren dominantie en ijzersterke argumenten zou ze er alles aan doen om Tanja ervan te weerhouden om te verhuizen, maar Tanja wist ook dat ze nu door moest zetten. Als ze het nu niet deed, zou ze waarschijnlijk op haar zestigste nog bij haar moeder in huis wonen en zich aan haar regels moeten aanpassen. Ze huiverde bij dat idee. Nee, het samenwonen met haar moeder had nu wel lang genoeg geduurd, al wist ze dan nog niet precies hoe ze het aan moest pakken om deze situatie te veranderen. In ieder geval zou ze eerst weer een volledige baan moeten hebben, anders kon ze zich niet eens eigen woonruimte veroorloven. En dan moest ze Aafke nog zien te trotseren... Maar ach, het was haar ook gelukt om zich tegen Judith te verweren en om haar relatie met Jos te verbreken, dus wat dat betrof was ze nu sterker dan ooit. Tanja stond verbaasd over zichzelf dat het haar zo goed afging om voor zichzelf op te komen. Blijkbaar begon ze toch volwassen te worden, al was het enigszins aan de late kant.

Thuis aangekomen liep ze direct door naar Aafkes slaapkamer. Op de overloop bleef ze echter verbaasd stilstaan. Er klonken stemmen uit haar moeders kamer en dat was zoiets vreemds dat ze aarzelde om naar binnen te gaan. Haar moeder kreeg nooit bezoek. Onzeker opende ze de deur. Haar ogen werden groot bij wat ze in de slaapkamer aantrof. Aafke lag in bed, met hoogrode wangen en schitterende ogen. En dat kwam niet alleen van de koorts, constateerde Tanja met een blik op de man die op de rand van het bed zat. Hij leek volkomen op zijn gemak, alsof hij hier al jaren over de vloer kwam.

'Jij moet Tanja zijn,' zei hij. Hij stond op en kwam met uitgestoken hand op haar af. 'Ik ben Govert Driessen.'

'Tanja Noordeloos,' zei Tanja automatisch terwijl ze de stevige hand drukte.

'Govert is een vriend van me,' zei Aafke vanuit haar bed. Haar stem klonk nerveus, hoorde Tanja. Ze stond nog steeds verdwaasd midden in de kamer, niet wetende wat ze hiervan moest denken.

'Niet zomaar een vriend,' verbeterde Govert haar direct. 'Dé vriend. Tenminste, dat hoop ik.' Hij lachte luid. 'Ik spring niet voor iedereen in de auto om vervolgens honderdvijftig kilometer te rijden, alleen maar om op ziekenbezoek te gaan. Dat heb ik alleen voor heel speciale mensen over.' Hij wierp zo'n tedere blik op Aafke dat Tanja er bijna verlegen van werd. Snel wendde ze haar hoofd af. Dit was een ontwikkeling waar ze helemaal geen rekening mee had gehouden. Haar moeder met een vriend. Ze moest er bijna om lachen. In ieder geval paste deze Govert beter bij haar moeder dan Claudine bij haar vader, zo op het eerste gezicht. Govert leek haar een jaar of zestig. Zijn haren waren grijs, zijn houding statig en hij leek haar opgewekt, charmant en eerlijk, voor zover ze dat bij een eerste ontmoeting kon bepalen. Nieuwsgierig vroeg ze zich af hoe haar moeder aan deze man gekomen was. Ze ging bijna nooit weg, het mocht gerust een wonder heten dat ze een leuke vriend had ontmoet.

'Waar hebben jullie elkaar leren kennen?' vroeg ze als vervolg op die gedachten.

Aafke draaide gegeneerd haar gezicht weg, maar Govert gaf meteen antwoord.

'Via internet. Zodra ik haar advertentie zag wist ik onmiddellijk dat Aafke de vrouw voor mij was,' vertelde hij zonder terughoudendheid.

'Wat?' Nu was Tanja pas echt verbijsterd. Internet? Haar moeder? Ze had nooit iets van computers willen weten en toen Tanja er toch eentje kocht om beter contact met Fay te kunnen onderhouden, had ze erop gestaan hem in een kamertje boven neer te zetten, omdat ze niet de hele dag tegen zo'n apparaat aan wilde kijken. Fay zou genieten van dit verhaal, wist Tanja.

'Ach, een mens probeert eens wat,' mompelde Aafke.

'Gelukkig wel,' haakte Govert daarop in. 'Anders waren wij elkaar nooit tegengekomen.'

Met heimelijk plezier zag Tanja dat haar moeder nog dieper bloosde en dat ze haar niet aan durfde te kijken. Ze vergat er bijna even haar eigen sores door. Ze besloot op dit moment nog maar niet te vertellen dat haar huwelijk niet doorging, dat kwam later wel. Haar moeder zag eruit alsof ze hoognodig een paar uur moest slapen.

'Zullen wij beneden een kop koffie drinken? Dan kan mijn moeder rusten,' zei ze tegen Govert.

'Je hebt gelijk. Nee, Aafke, niet protesteren. Jij gaat slapen en ik ga gezellig de kennismaking met je dochter voortzetten. Ik blijf in ieder geval tot je weer wakker bent,' beloofde hij.

Hij volgde Tanja naar de keuken, waar ze koffiezette en liep daarna samen met haar naar de huiskamer.

'Dit is natuurlijk een vreemde situatie,' opende hij daar het gesprek. 'Zomaar ineens staat er een wildvreemde man in je moeders slaapkamer, ik kan me voorstellen dat je daar raar tegenaan kijkt.'

'Nogal ja,' gaf Tanja toe. 'Mijn moeder krijgt bijna nooit bezoek en zeker niet van mannen.'

Weer klonk zijn daverende lach luid op. 'Gelukkig niet. Je hoeft je geen zorgen te maken, Tanja. Ik heb eerbare bedoelingen met je moeder.'

'Bestaat die uitdrukking tegenwoordig nog?' lachte Tanja met hem mee. Ze mocht deze man direct. De manier waarop hij praatte en daarbij haar blik niet ontweek, beviel haar.

'Voor mij in ieder geval wel. Ik ben nooit getrouwd geweest,' vertelde Govert nu openhartig. 'Ik heb jarenlang als marinier over de wereld gezworven zonder me te settelen. Nu ben ik met pensioen en ik beschouw het als een groot geschenk dat ik dit geluk nog mag meemaken, op mijn leeftijd. Voor jou zal het trouwens ook wel een zorg minder zijn dat je moeder niet eenzaam achterblijft als je naar Duitsland vertrekt.'

'Dat gaat niet door,' vertelde Tanja nu op haar beurt. 'Ik heb zojuist mijn verloving verbroken.'

'Ach kind,' schrok hij. 'Wat erg. Ik heb van Aafke begrepen dat zij het niet zo eens was met je keuze, maar voor jou moet dit behoorlijk hard aangekomen zijn.'

'Dat valt eigenlijk wel mee,' stelde Tanja hem gerust. 'Ik weet niet zo goed wat ik voel, in ieder geval heb ik niet de neiging om me te verdrinken in verdriet. Het is allemaal nog een beetje onwerkelijk.'

'Je vat het nog niet helemaal,' meende Govert te begrijpen, maar Tanja schudde haar hoofd.

'Ik vat het prima, dat is het niet. Eigenlijk hoefde dat trouwen voor mij niet zo nodig. Jos wilde het graag en ik zag geen reden om het niet te doen. Het leek juist mooi uit te komen.'

'Om bij je moeder weg te kunnen gaan, bedoel je,' sloeg hij nu wel de spijker op de kop.

'Kijk maar niet zo verbaasd. Ik heb ogen in mijn hoofd en hersens om mee na te denken. De laatste tijd hebben je moeder en ik veel contact gehad en ik begrijp wel zo'n beetje hoe de vork in de steel zit. Ze beschouwde jou als haar persoonlijk bezit en heeft jou min of meer belemmerd een eigen leven te leiden.'

Tanja knikte slechts. Het verbaasde haar dat iemand die nog maar net haar leven binnen was gewandeld de zaken zo snel doorhad.

'Daar hoef je je in ieder geval geen zorgen meer over te maken,' vervolgde hij nu met een knipoog. 'Ik ga je moeder zo bezig houden dat ze helemaal geen tijd meer heeft om zich met jou te bemoeien. Het wordt tijd dat jij je eigen leven kan gaan leiden.'

'Alleen is er nu niemand meer om dat leven mee te delen,' zei Tanja ironisch.

'Dat hoeft geen slechte ontwikkeling te zijn. Je kunt nu iets opbouwen vanuit jezelf, je eigen pad volgen, zonder rekening te hoeven houden met anderen. Je hebt je altijd aangepast aan je partners, heb ik begrepen. Nu wordt het tijd om te gaan doen wat je zelf wilt.'

'Als ik maar wist wat dat is.' Tanja keek somber voor zich uit. Het klonk allemaal zo mooi en aanlokkelijk wat Govert zei, maar voorlopig had ze alleen maar het gevoel dat ze midden in een donkere kamer stond en het lichtknopje niet kon vinden. Ze doolde maar wat rond. Het parttime werken beviel haar niet, haar huwelijk ging niet door, haar beste vriendin woonde honderden kilometers ver weg, haar ouders waren uit elkaar en de vriendschappen die ze had gehad waren verbroken. Niets in haar leven ging zoals zij het wilde en ze zag geen kans om daar verandering in te brengen. Er werd altijd zo snel gezegd dat je het leven in eigen hand moest nemen, maar hoe deed je dat? Ze kon toch moeilijk haar ouders dwingen weer met elkaar verder te gaan, evenmin kon ze Fay terughalen naar Nederland of van haar werkgever eisen dat hij haar oude baan terug zou geven.

'Zelf je leven bepalen wil niet zeggen dat je anderen naar je hand kunt zetten,' zei Govert vriendelijk, alsof hij haar gedachten kon raden. Waarschijnlijk waren ze van haar gezicht af te lezen. 'Maar je hebt wel invloed over hoe je daar mee omgaat. Dat bepaal je zelf. Je kunt zielig in een hoekje gaan zitten treuren omdat je geen vriendinnen hebt, maar je kunt ook actie ondernemen om nieuwe vriendschappen te sluiten.'

'Dat klinkt zo makkelijk,' zuchtte Tanja.

'Niemand heeft ooit beweerd dat het leven makkelijk is, maar het hoeft ook geen lijdensweg te zijn. Goede en slechte dingen staan altijd naast elkaar, de kunst is om van het goede te genieten en het slechte te accepteren voor zover je dat niet kunt veranderen,' adviseerde Govert. Hij hief zijn lege kopje naar haar op. 'Mag ik er nog eentje?'

Tanja schonk opnieuw hun kopjes vol. Hoewel ze deze man nog maar net ontmoet had, voelde het helemaal niet raar om zo'n diepgaand gesprek met hem te voeren. Het ging heel natuurlijk en vanzelfsprekend.

'Waarom ga je niet op vakantie?' hervatte hij even later hun gesprek. 'Je bent volgende week vrij, zei je moeder, vanwege je huwelijk. Ga er lekker een paar dagen tussenuit.'

'Ik kan mijn moeder nu niet alleen laten, zij moet in bed blijven.'

'Ik ben er toch?' zei Govert eenvoudig. 'Jullie hebben in dit grote huis vast wel een logeerkamer en ik ben een prima verpleegster, al zeg ik het zelf. Voor mij is het geen probleem, Tanja. Ik heb geen familie waar ik rekening mee moet houden en geen baan waar ik aan vastzit.'

Langzaam liet Tanja dit idee op zich inwerken. Een weekje er helemaal uit, niets aan haar hoofd, het klonk zeer aantrekkelijk.

'Ik zou een paar dagen naar Fay kunnen gaan,' aarzelde ze.

'Dat bedoel ik,' knikte Govert monter. 'Me dunkt dat je dat wel verdiend hebt na alles wat er achter je ligt.'

Tanja keek hem aan. Dit was allemaal heel leuk en aardig, maar kon ze dat wel doen? Voor hetzelfde geld was deze Govert een oplichter die oudere, welgestelde dames het hoofd op hol bracht en er vervolgens met hun geld vandoor ging. Als zij op vakantie ging en hem hier liet, maakte ze het hem in dat geval wel heel erg gemakkelijk.

'Je kunt mijn antecedenten natrekken,' zei Govert. Net als daarnet leek hij weer precies te weten waar ze aan dacht.

'Ik denk dat dat wel goed zit,' zei Tanja met een glimlach. Misschien was het stom, maar ze vertrouwde hem intuïtief. Ze stond op en gaf hem spontaan een zoen op zijn wang. 'Ik hoop dat het echt wat wordt tussen mijn moeder en jou,' zei ze impulsief.

Hij klopte haar met een vaderlijk gebaar op haar schouder. 'Maak je daar in ieder geval maar geen zorgen om,' verzekerde hij haar met een voldane lach. 'Dat zit wel goed.'

HOOFDSTUK 18

De week weg deed Tanja wonderlijk goed. Vanwege haar hernia kon Fay niet ergens heen met haar, maar dat maakte het plezier van hun weerzien niet minder. Urenlang brachten ze door op het ruime balkon van het huis van Fay en Jaime, zonder dat er een stilte in hun gesprekken viel. Tot haar verbazing merkte Tanja dat Fay het afblazen van haar huwelijk helemaal geen slechte ontwikkeling vond.

'Ik dacht dat jij Jos graag mocht,' zei ze.

Fay knikte. 'Klopt. Ik vind hem heel aardig, alleen past hij niet bij jou. Ik kreeg niet de indruk dat je *totaly in love* op hem was.'

'Natuurlijk hield ik wel van hem,' verdedigde Tanja zichzelf meteen.

Fay trok haar wenkbrauwen hoog op. 'Hield?' zei ze fijntjes. 'Verleden tijd, nu al? Jullie relatie is nog maar net verbroken, je zou kapot van verdriet moeten zijn. Sterker nog, je zou op dit moment een getrouwde vrouw zijn als je echt van hem gehouden had, want dan waren jullie hier wel uitgekomen.'

'Zijn ultimatum ging me te ver,' merkte Tanja met een strak gezicht op.

'Maar toen jij weigerde daarin mee te gaan had hij daar al spijt van,' weerlegde Fay dat argument kalm. 'Een goed gesprek had dat heus wel opgelost, als je daar tenminste voor open had gestaan. Eerlijk gezegd ben ik blij dat dit gebeurd is. Je moet heel erg veel van iemand houden om je vaderland en alles wat je lief is achter te laten. Geloof me, ik spreek uit ervaring.'

'Jij hebt het hier toch aardig voor elkaar,' zei Tanja, om zich heen kijkend. Fay en Jaime bewoonden een ruim huis vlakbij het strand, in een plaatsje dat in de zomermaanden druk bezocht werd, maar dat niet overspoeld werd door toeristen.

'Wat niet wil zeggen dat ik af en toe niet hevig terugverlang naar Hollandse winters, stamppotten, weidse landschappen en mijn familie. Dat is de prijs die ik betaal om samen met Jaime te zijn. Als hij niet DE MAN voor me was geweest, met hoofdletters, had ik dat er nooit voor overgehad,' zei Fay ernstig. 'Sowieso is er heel erg veel liefde nodig om een huwelijk te laten slagen, buiten kameraadschap, humor en gezond verstand. Een relatie blijft niet vanzelf goed, dat is een sprookje.'

Tanja stond op om iets te drinken in te schenken en veranderde bij haar terugkomst op het balkon haastig van gespreksonderwerp. Ze was er nog niet aan toe om haar gevoelens ten opzichte van Jos te analyseren, al wist ze diep in haar hart dat Fay gelijk had. Als ze echt van hem gehouden had, was ze er nu ongetwijfeld een stuk beroerder aan toe geweest. Ze had echter geen seconde het gevoel gehad dat haar wereld ingestort was.

Uitgerust en klaar voor de toekomst keerde ze een week later terug naar huis. De licht sluimerende angst dat Govert de boel had leeggeroofd en haar moeder berooid had achtergelaten, werd gelukkig niet bewaarheid. Aafke zag er beter en gelukkiger uit dan ooit en Govert had alles tijdens Tanja's afwezigheid prima verzorgd. Het huis was schoon, de wasmand leeg en de kasten vol met levensmiddelen.

'Ik zorg mijn hele leven al voor mezelf,' zei hij als reactie op haar verraste blik. 'Wat dat betreft hoef je niet bang te zijn dat ik alleen op zoek ben naar een vrouw omdat ik een huishoudster nodig heb. Dat kan ik prima zelf.'

'Hij kookt zelfs beter dan ik,' verklaarde Aafke met stralende ogen.

Tanja werd overvallen door een vreemd, weemoedig gevoel bij het zien van haar moeder en Govert. Deze twee mensen waren duidelijk stapelgek op elkaar, ondanks hun gevorderde leeftijden. Ze gunde het hun van harte, maar het versterkte haar gevoel van eenzaamheid. Vreemd. Al die tijd had ze haar moeder verweten dat ze te dicht op haar huid zat, haar te veel claimde en zich voortdurend met haar leven bemoeide, maar nu daar een einde aan leek te komen omdat haar moeder het te druk kreeg met Govert, kreeg ze het benauwd bij de gedachte dat Aafke een minder prominente rol in haar leven zou gaan spelen. Onbewust was ze blijkbaar toch afhankelijker van haar moeder dan ze zelf gedacht had. Misschien had ze haar moeder alleen maar de schuld gegeven van haar eigen onzelfstandigheid omdat dat een goed excuus was. Door te beweren dat ze niet tegen Aafke op kon, hoefde ze niets aan de situatie te veranderen. Het was blijkbaar erg makkelijk om jezelf voor de gek te houden, dat was in haar relatie met Jos ook wel gebleken. Tanja had zichzelf al die tijd wijsgemaakt dat ze van hem hield, omdat ze op die manier het leven dat haar niet beviel kon ontvluchten om iets totaal anders te beginnen. Maar ook dat totaal andere was niet wat ze zelf wilde, niet iets waar ze bewust voor gekozen had. Ze dobberde maar wat rond op de stroming van het leven, zonder een richting te kiezen waar ze heen wilde zwemmen.

Nu Aafke veel tijd met Govert doorbracht zat Tanja vaak alleen thuis en had ze zeeën van tijd om na te denken. Het kostte haar dan ook niet eens zo heel veel moeite om tot dit inzicht te komen, maar weten waar het fout gegaan was betekende niet automatisch dat het vanaf nu goed ging. Ze wist nog steeds niet goed wat ze verder wilde gaan doen. Op zichzelf wonen, dat wel, maar daarvoor moest ze toch eerst weer een fulltime baan hebben. Ze speelde ook steeds vaker met de gedachte om een studie te beginnen en werk in een andere richting te gaan zoeken, maar ook dat plan stuitte op praktische problemen. Ook om een studie te betalen moest ze tenslotte geld hebben. Tanja wist zeker dat Aafke onmiddellijk alles voor haar zou betalen als ze daarom zou vragen, maar dat was nu net wat ze niet wilde. Ze kon niet besluiten zelfstandig te worden om vervolgens haar hand op te gaan houden bij haar moeder. Op haar leeftijd moest ze het zelf kunnen doen. Eigenlijk was het al te gek dat ze nog steeds rondreed in de auto die haar moeder bekostigde. Dat had ze nooit een bezwaar gevonden omdat ze als tegenprestatie Aafke overal heen bracht en zo min of meer de auto verdiende, maar nu Govert ten tonele was verschenen was dat ook weggevallen. Tegenwoordig fungeerde hij als Aafkes chauffeur, met liefde. Om de wagen de deur uit te doen ging haar echter net iets te ver. Ze moest haar zelfstandigheid nu ook weer niet overdrijven, meende Tanja laconiek.

Met haar parttime baan, haar moeder die tegenwoordig vaker niet dan wel thuis was en het gebrek aan vriendinnen verveelde Tanja zich behoorlijk. Zelfs haar poppenhuizen hadden hun bekoring verloren nu ze geen droomhuis meer voor ogen had dat ze in wilde richten. Ze zat vaak op de zolder, er kwam echter niets meer uit haar handen. Soms zat ze domweg urenlang voor zich uit te staren, zonder iets te doen. Toen haar collega Tiny haar uitnodigde voor een feestje nam ze die uitnodiging dan ook met beide handen aan. Eindelijk weer eens iets anders dan avond aan avond thuis zitten.

Ze kleedde zich die bewuste avond met zorg aan. Een zwarte broek, een vuurrode blouse waarvan ze wist dat die haar heel goed stond en hooggehakte, zwarte schoenen. Met haar make-up was ze, als altijd, snel klaar. Ze hield niet van die rommel op haar gezicht en gebruikte slechts wat mascara en een lippenstift in dezelfde kleur als haar blouse. Het donkere, lange haar viel sluik langs haar gezicht, daar deed ze niets extra's aan. Ze had echt zin in de komende avond. Hoewel ze nooit zo'n echt feestbeest was geweest, was ze er nu wel aan toe om zich eens helemaal uit te leven. Tiny stond op het werk bekend om de feestjes die ze ieder jaar met haar verjaardag gaf. Haar ouders waren de eigenaars van een groot, bekend restaurant aan de rand van de stad en ieder jaar stelden zij hun feestzaal ter beschikking aan hun dochters, een tweeling. Die avonden verliepen meestal zeer uitbundig en gingen gepaard met veel drankgebruik. Normaal gesproken verliet Tanja het feest voordat de eerste tekenen van dronkenschap zich bij de gasten openbaarden, maar dat was ze dit keer niet van plan.

Aafke bracht het weekend bij Govert door, dus ze hoefde ook niet bang te zijn om haar moeder wakker te maken als ze midden in de nacht thuiskwam, iets waar ze toch altijd rekening mee hield. Waar ze overigens wel rekening mee moest houden, want Aafke liet altijd duidelijk haar afkeuring blijken als dat gebeurde. Maar vanavond was ze er niet en kon Tanja doen wat ze zelf wilde.

De avond begon al goed. Tanja was amper binnen in het zaaltje en had net Tiny en haar tweelingzus gefeliciteerd toen er een man op haar af kwam lopen.

'Hoi, ik ben Oscar,' stelde hij zichzelf ongedwongen voor. 'Een neef van Tiny en Emma. Ik woon nog maar kort hier in de stad en ken, behalve mijn familie, niemand in deze zaal. Wil jij met me dansen? Dat geeft me het gevoel dat ik minder eenzaam ben.'

Tanja schoot hardop in de lach. 'Alleen omdat je zo verlegen bent,' grinnikte ze. 'Ik wil niet op mijn geweten hebben dat je de rest van de avond als muurbloem moet fungeren.'

'Daar hoopte ik al op,' grijnsde hij. Aan haar elleboog voerde hij haar mee de dansvloer op, die nog maar door enkele stelletjes werd bezet. De vriend van Tiny beheerde de muziek en hij knalde het ene swingende nummer na het andere de zaal in.

'En nu een nummer voor verliefde paartjes,' riep hij op een gegeven moment. Een rustig muziekje vulde de zaal en diverse stellen wierpen zich in elkaars armen.

'Een goede gelegenheid voor een drankje,' zei Oscar terwijl hij het zweet van zijn voorhoofd wiste. 'Jij weet een man wel uit te putten, zeg.'

'Jij wilde dansen,' hielp Tanja hem fijntjes herinneren. Ze volgde hem naar de bar en even later streken ze, met hun drankjes, neer aan een grote tafel waar verschillende collega's van Tanja aan zaten. Als vanzelfsprekend ging Oscar naast haar zitten.

'Waar ken je Tiny van?' wilde hij weten.

'We werken in hetzelfde verzorgingstehuis,' antwoordde Tanja.

'Aha, jij bent dus ook verpleegster. Dan heb je mazzel dat je vanavond geen dienst hebt. Naar wat ik begrepen heb, heeft Tiny iedereen van haar werk uitgenodigd, maar er zijn er natuurlijk een aantal die moeten werken. Dat is het nadeel in een dergelijk beroep.'

'Daar heb ik geen last van. Ik werk parttime, drie dagen per week.'

'O.' Hij keek haar even aandachtig aan. 'Heb je soms een man en een paar kinderen thuis zitten?' vroeg hij toen.

Tanja schudde haar hoofd. 'Niets van dat alles. Het enige wat ik thuis heb is een lastige moeder, maar die is tegenwoordig vaker de hort op dan ik,' antwoordde ze luchtig.

'Mooi.' Oscar leek tevreden met dit antwoord. Zelfs die lastige moeder scheen hem niet af te schrikken. 'In dat geval vind ik dat we nog maar een dansje moeten wagen.' Hij pakte het inmiddels lege glas uit haar handen en trok haar zonder plicht-plegingen mee om opnieuw de dansvloer onveilig te maken. Deze keer maakte hij geen aanstalten om het dansen te beëindigen op het moment dat er een langzaam nummer gedraaid werd. Hij nam haar in zijn armen en trok haar stevig tegen zich aan. Tanja genoot van iedere minuut. Er was een zorgeloosheid over haar heen gekomen die haar totaal vreemd was, maar waar ze zich niet tegen verzette. Bovendien dronk ze meer dan ze gewend was, wat haar overmoedige stemming alleen maar versterkte. Bij ieder drankje dat Oscar voor haar haalde werd ze vrolijker en haar natuurlijke remmingen vielen steeds meer weg. Ze danste tot diep in de nacht met verschillende mannen, toch was het Oscar die haar steeds weer kwam opeisen als ze naar zijn zin te lang met een ander op de dansvloer was.

'Ik heb je ontdekt, had de rest maar eerder op je af moeten stappen,' zei hij nadat hij haar bijna letterlijk uit de armen van Tiny's vader had gesleurd.

Tanja giechelde. 'Je klinkt als een jaloerse minnaar.'

'Wie weet wat de toekomst voor ons in petto heeft,' antwoordde hij daarop.

Glimlachend leunde Tanja tegen hem aan. De alcohol had haar licht in haar hoofd gemaakt en ze voelde zowaar een beroering in haar maagstreek die zelfs Jos nooit bij haar op had kunnen wekken. Oscar was een leuke en tevens knappe man, dat viel niet te ontkennen. Ze was gevleid door zijn aandacht voor haar en het feit dat hij haar openlijk liet merken dat hij haar leuk vond, maar verder gingen haar gedachten niet. Het laatste waar haar hoofd op dat moment naar stond, was een nieuwe relatie. Er moest eerst nog heel veel in haar leven veranderen voor ze daar weer voor open kon staan. In ieder geval moest ze eerst uitvinden wat ze zelf wilde en wie ze was, dat hadden de relaties met Benjamin en Jos haar wel geleerd. Bij allebei die mannen had zij zich volledig aan hen aangepast en deed ze wat zij wilden, zonder voor haar eigen belangen op te komen. Dat zou haar niet snel weer gebeuren, zo verstandig was ze inmiddels wel. Deze rationele gedachten beletten haar echter niet om met Oscar te flirten en zich te wentelen in zijn aandacht.

Tegen twee uur werd er koffie geserveerd en maakten de eerste mensen aanstalten om weg te gaan. Tanja was met de auto gekomen, maar gezien de staat waarin haar hoofd zich bevond leek het haar verstandiger om een taxi terug naar huis te nemen. Ze had deze avond meer gedronken dan ze anders in een jaar deed.

Oscar dook alweer achter haar op toen ze haar jas aantrok. 'Zal ik je een lift naar huis geven?' vroeg hij. Hij beroerde even heel licht haar wang en streelde vervolgens haar onderarm. Al Tanja's haartjes gingen recht overeind staan bij dit subtiele gebaar. Zijn ogen lagen vast in de hare en ze wist wat ervan ging komen als ze hierin zou toestemmen. Desondanks piekerde ze er niet over om te weigeren. Wat kon het haar eigenlijk schelen, dacht ze overmoedig bij zichzelf. Ze was bijna vijfentwintig en ze had nog nooit in haar leven een onenightstand gehad. Fay zou zeggen dat het hoog tijd werd en haar zeker aanmoedigen om met Oscar mee te gaan.

Ze likte even langs haar lippen en keek hem flirterig aan. 'Ik ben met de auto,' antwoordde ze, benieuwd of hij aan zou dringen of haar zou laten gaan.

Hij beantwoordde haar uitdagende blik. 'Geen enkel probleem. Die halen we morgenochtend wel op, als we wakker worden.'

De volgende ochtend ontwaakte Tanja niet met hoofdpijn, maar wel met een heel vreemd, onwezenlijk gevoel. Oscar lag naast haar nog diep in slaap. Gesteund op haar elleboog keek ze naar dat vreemde en tegelijkertijd vertrouwde gezicht. Behalve zijn regelmatige ademhaling was het doodstil in huis. Ze had een onenightstand gehad. Een liefde voor één nacht. Tanja constateerde het rationeel, alsof dit haar dagelijks overkwam. Iets dergelijks had ze echter nog nooit gedaan, al kon ze niet anders dan toegeven dat het haar heel goed bevallen was. Er was een klik tussen haar en Oscar, alsof ze elkaar al jaren kenden. Het was helemaal niet vreemd geweest om zich voor hem uit te kleden, een punt waar ze zowel met Benjamin als met Jos veel langer over had gedaan. Bij Oscar leek alles vanzelfsprekend, alsof het zo moest zijn. Ze glimlachte stil voor zich heen. Als ze niet oppaste werd ze nog frivool ook!

Zo voorzichtig mogelijk stapte ze uit bed en zacht sloop ze naar de badkamer. In het felle ochtendlicht was alles anders dan het vannacht was geweest en hoewel ze zich bij Oscar volkomen op haar gemak voelde, wilde ze toch liever gewassen en aangekleed zijn als hij wakker werd.

Hij opende net zijn ogen op het moment dat ze, in spijkerbroek en sweater en met haar haren nat langs haar gezicht, haar slaapkamer weer betrad.

'Goedemorgen schoonheid. Je bent al aangekleed,' merkte hij teleurgesteld op. 'Jammer.'

Tanja gooide een kussen naar zijn hoofd, wat hij handig ontweek.

'De nacht is voorbij, het is weer tijd voor de realiteit van alledag,' zei ze verstandig. 'Als we nu gaan ontbijten kunnen we daarna mijn auto ophalen.'

'Is dat alles wat je te zeggen hebt?' vroeg hij.

'Wat wil je dan horen?'

'Nou…' Hij rolde op zijn zij en keek haar aan. 'Iets wat klinkt als 'Oscar, wat ben je knap en lief en wat ben ik blij dat ik je ontmoet heb. Nu ik je gevonden heb laat ik je nooit meer gaan'.'

'Je bent niet goed bij je hoofd,' zei Tanja terwijl ze veelbetekenend op haar voorhoofd tikte. Ze kon echter niet verhinderen dat ze in de lach schoot.

Onverhoeds schoot zijn arm naar voren en voor ze wist wat er gebeurde trok hij haar naast zich op haar bed.

'Dat is al een stuk beter,' zei hij tevreden. 'Kom eens hier. Je hebt me nog niet eens een goedemorgen gewenst.'

'Goedemorgen,' zei Tanja gehoorzaam.

'Dat is te kaal, daar hoort een zoen bij.' Hij boog zich naar haar over en zijn lippen belandden vol op de hare. De kus, die voor Tanja's gevoel minutenlang duurde, bracht onvermoede gevoelens in haar naar boven. Onwillekeurig klampte ze zich aan hem vast, haar ene hand woelde door zijn volle, ietwat rossige haardos. Het duurde even voor ze zichzelf weer onder controle had en overeind kwam. Verward streek ze de natte haarslierten uit haar gezicht.

174

'Volgens mij hoort dit er niet bij,' mompelde ze.

'Wat bedoel je?' vroeg Oscar fronsend.

'Nou, dit.' Ze maakte een hulpeloos gebaar met haar hand. 'Ik bedoel, dit is voor mij de eerste keer, dus veel verstand heb ik er niet van, maar ik lees veel tijdschriften en in die artikelen gaat het anders. Daarin weten de mannen nooit hoe snel ze weg moeten komen 's morgens en zoenen is er zeker niet meer bij.' Verlegen wendde ze haar blik af van zijn ongelovige gezicht.

'Was dit voor jou een eenmalig iets?' vroeg hij.

'Voor jou niet dan?' Ze durfde hem niet aan te kijken en friemelde nerveus aan een punt van haar dekbed.

'Nee,' antwoordde hij kort, maar beslist. 'Ik vond je direct al leuk. Waarom denk je dat ik op je afstapte zodra je die zaal binnen kwam?'

'Maar je kent me helemaal niet,' wierp Tanja tegen.

'Ik verheug me er wel op om je te leren kennen.'

Even vertrok ze bitter haar mond. 'Dat kan je nog wel eens zwaar tegenvallen. Ik ben waarschijnlijk niet zoals je nu denkt.'

Oscar kwam overeind en trok haar weer naar zich toe. Haar hoofd lag nu op zijn borst en zijn arm lag stevig om haar heen. Met zijn andere hand streelde hij over haar natte haren.

'Je weet niet wat ik denk.'

'Jawel. Jij denkt dat ik een jonge, zelfstandige vrouw ben die haar zaakjes goed op orde heeft en die er niet vies van is om op een feestje een man op te pikken om daar vervolgens de nacht mee door te brengen,' zei Tanja gesmoord. 'Maar niets is minder waar. Het enige gedeelte dat hiervan klopt is dat ik jong ben, maar dan heb je het wel gehad. Zelfstandig ben ik al helemaal niet en met de mannen in mijn leven is het droevig gesteld.'

'Tot nu toe dan,' zei Oscar geamuseerd. 'Je kunt gerust stoppen met het opsommen van al je slechte hoedanigheden, want ik laat me niet zo snel wegjagen.'

'Maar waarom?' Tanja kwam overeind en keek hem hulpeloos aan.

'Omdat ik je leuk vind,' antwoordde hij eenvoudig. 'Te leuk om te laten lopen. Op z'n minst vind ik dat we elkaar beter moeten leren kennen.'

'Ik ken mezelf niet eens,' zei ze wrang. 'Kijk niet zo raar, ik meen het. Ik ben op een punt in mijn leven aanbeland waarop ik keuzes moet maken en ik heb geen flauw benul wat ik moet doen. Ik woon bij mijn moeder, twee maanden geleden zou ik trouwen, maar dat is op het laatste moment afgeblazen en mijn werk bevalt me niet meer.'

'Een prima tijdstip om de liefde van je leven te ontmoeten,' meende Oscar monter.

'Zodat ik weer alles af moet laten hangen van een man?' vroeg Tanja spottend.

'Nee, zodat je de weg naar volledige ontwikkeling kunt afleggen in de veilige wetenschap dat er iemand naast je staat die je steunt,' antwoordde hij nu serieus. 'Ik meende het toen ik net zei dat ik me niet zo snel weg laat jagen, Tanja. Onlangs is mijn relatie ook verbroken en ik was zeker niet op zoek naar een nieuwe, maar dit is ons overkomen en dat is te kostbaar om zomaar weg te gooien. Hoe vaak ontmoet je nu iemand met wie het direct op alle fronten zo goed klikt? Misschien zijn we helemaal niet voor elkaar bestemd en vechten we elkaar binnen no time de tent uit, maar dat wil ik dan wel graag zelf ontdekken zonder bij voorbaat weggestuurd te worden omdat je onzeker bent. Dit voelt te goed om ermee te stoppen en ik kan me niet voorstellen dat jij daar anders over denkt.'

'Dat is waar,' moest Tanja toegeven. Met een zucht legde ze haar hoofd weer terug op zijn borst. Een veilig, geliefd plekje, nu al.

Met alle keuzes waar ze voor stond was het aangaan van een nieuwe relatie waarschijnlijk het stomste wat ze kon doen, maar Oscar had wel gelijk. Dit voelde goed. Té goed om er nu al een einde aan te maken.

HOOFDSTUK 19

In de maanden die volgden verbaasde Tanja zich er regelmatig over dat Oscar zo makkelijk haar leven binnen was gelopen en dat hij zich er zo soepel in had aangepast dat ze zich bijna niet meer voor kon stellen dat er een tijd was waarin hij er niet was geweest. Benjamin en Jos stelden niets voor vergeleken bij Oscar. Op Benjamin was ze verliefd geweest, van Jos had ze gemeend te houden omdat dat haar goed uitkwam, maar wat ze voor Oscar voelde stak daar allemaal mijlenver bovenuit. Het geluk was van haar gezicht af te lezen en hoewel haar leven nog steeds niet was zoals ze het wilde, danste ze de dagen door. De rest maakte allemaal niet uit, zolang ze Oscar maar had, al waakte ze er wel voor dat ze niet dezelfde fouten maakte als in het verleden. Ze hield rekening met hem, uiteraard, maar cijferde zichzelf niet weg ten behoeve van hem en dat was al een grote stap in haar ontwikkeling tot volwassen vrouw.

Ondertussen speurde Tanja ijverig het internet af naar ander werk en diverse studiemogelijkheden. Wat dat laatste betrof had ze haar keus snel gemaakt. Ze besloot de opleiding tot pedicure te gaan volgen om aansluitend de cursus medisch pedicure te doen, speciaal gericht op probleemvoeten van ouderen en mensen met bijvoorbeeld diabetes of reumatische aandoeningen. In haar werk in het verzorgingstehuis hoorde ze van de cliënten vaak klachten over voetproblemen en op deze manier bleef ze toch verbonden met de zorg, waar haar hart lag. Ze kon een eigen praktijk opstarten of zich verbinden aan zorginstellingen, mogelijkheden waren er genoeg.

Hoewel ze popelde om aan deze opleiding te beginnen, wachtte ze met inschrijven tot ze een fulltime baan, en dus voldoende inkomsten zou hebben. Het was Aafke die haar daarvan afbracht.

'Stel je niet zo aan,' zei ze kort toen het onderwerp ter sprake kwam. 'Die opleiding betaal ik natuurlijk voor je, dat lijkt me niet meer dan logisch.'

'Ik wil het zelf doen,' stribbelde Tanja tegen. 'Ik ben volwassen, mam, ik moet mijn eigen leven gaan bepalen.'

'Dat zinnetje hoor ik de laatste tijd voortdurend van je en daar sla je in door,' merkte Aafke scherp op. 'Als je destijds een universitaire studie was gaan volgen had je het ook normaal gevonden als ik die betaald had en dan was ik heel wat duurder uit geweest dan nu het geval is. Zelfstandigheid is prima, maar je moet het niet overdrijven. Je bent mijn kind. Wacht maar tot je zelf ooit kinderen hebt, dan doe je dat ook voor ze.'

Uiteindelijk gaf Tanja toe, want haar moeders argumenten waren heel erg logisch. Ze vroeg zich wel af of dit geen teken van zwakte van haar kant was. Nu ze steeds beter leerde om voor zichzelf op te komen, was ze daar erg op gebrand. Maar haar moeder had wel gelijk als ze zei dat ze daar soms in doorsloeg, dat moest ze eerlijk toegeven. Het was niet makkelijk om de balans te vinden tussen een doetje en een kenau.

'Bedankt dan,' zei ze.

'Je hoeft me niet te bedanken,' reageerde Aafke kortaf. 'Het is volkomen normaal dat ik dit soort kosten op me neem, net zo normaal als dat ik je jarenlang gevoed en gekleed heb en daar heb je me ook nooit voor bedankt.'

'Nou, bij dezen dan,' lachte Tanja. Ze stond op en gaf Aafke een spontane omhelzing.

De laatste tijd konden moeder en dochter steeds beter met elkaar overweg. Tanja werd mondiger en liet niet meer zo makkelijk over zich heen lopen en Aafke werd, onder invloed van Govert, wat milder en nam iets meer afstand. Dominant zou ze altijd wel blijven, ze drong haar mening echter wat minder op dan vroeger. Vriendinnen zouden ze waarschijnlijk nooit worden, maar daar verlangden ze allebei niet naar. Ze waren geen vriendinnen, ze waren moeder en dochter, maar tenminste wel een moeder en een dochter die redelijk gelijkwaardig aan elkaar waren. Het maakte het samenwonen er in ieder geval een stuk prettiger op. Tanja was daar blij om. Het veranderde haar plannen om woonruimte voor zichzelf te zoeken niet, maar het was een stuk fijner als ze op een normale, prettige manier het huis uit kon gaan, zonder een moeder die alles uit de kast trok om haar bij zich te houden. Als er op haar schuldgevoel werd gewerkt, was ze nog steeds met één vinger te lijmen, dat wist ze van zichzelf. Ondanks haar goede voornemens zou het een stuk moeilijker geweest zijn als Aafke Govert niet had ontmoet.

Tanja kon er nog steeds niet over uit dat haar moeder een contactadvertentie op internet had gezet. Als er iemand was van wie ze dat nooit had verwacht, was zij het wel. Het bewees haar echter wel hoe eenzaam Aafke in feite was, een gegeven dat best zwaar op haar schouders drukte. Als het kind van haar moeder was zij niet verantwoordelijk voor het geluk van haar moeder, maar zo voelde het niet altijd.

'Wil je nog koffie?' haalde Aafke haar uit haar gedachten.

Tanja schrok op. 'Ik schenk wel in. Komt Govert vanavond nog?'

'Nee. Hij is een vriend aan het helpen met behangen. Overmorgen komt hij hierheen en dan blijft hij een paar dagen.'

'Vind je het niet vervelend dat hij zo ver weg woont?' wilde Tanja weten. 'Eigenlijk ben je nu altijd afhankelijk van wanneer hij hierheen komt, want zelf kan je niet rijden.'

Enigszins verlegen schuifelde Aafke met haar voet heen en weer. 'Eh, ik heb me opgegeven voor zo'n cursus,' bekende ze. 'Om mijn rijbewijs te halen, bedoel ik. Zo'n opleiding van een paar weken. Iedere dag een aantal uur rijden en na afloop meteen examen. Het is dus heel goed mogelijk dat ik volgende maand mijn rijbewijs heb.'

'Mam!' Tanja's kopje bleef halverwege haar mond hangen van verbazing. 'Je wordt nog eens modern op je oude dag. Je leert hoe een computer werkt, je gaat autorijden. Ik weet niet wat ik hoor.'

'Ik ben zevenenvijftig, dat is niet oud,' zei Aafke stug.

'Je bent mijn moeder, in mijn ogen blijf je altijd oud,' plaagde Tanja. Het was een variant op het gezegde dat Aafke vroeger graag bezigde, toen Tanja midden in haar puberteit zat en kwaad werd als ze als een klein kind behandeld werd. 'Je bent mijn kind en in mijn ogen zal je altijd kind blijven,' zei Aafke dan.

'Dat betekent toch hopelijk niet dat jij straks voortdurend de auto wilt gebruiken?'

'Jij wilt zo graag zelfstandig zijn, koop je eigen auto maar,' kaatste Aafke terug.

'Die zit,' gaf Tanja toe. Ze rekte zich ongegeneerd uit en stond op. 'Ik ga me omkleden. Oscar komt me zo halen, we gaan naar de bioscoop.'

'Ik moet je nog iets vertellen. Gisteren belde je vader me op. Het is uit met die jonge del van hem,' zei Aafke plompverloren.

'Echt waar?' Prompt liet Tanja zich weer terugzakken op de bank.

Aafke knikte. 'Ja. Ineens heeft hij heel veel spijt van zijn misstap natuurlijk.' Ze lachte spottend. 'Het kwam er min of meer op neer dat hij terug wil komen bij mij.'

Heel even vlamde er een sprankje hoop op in Tanja's hart. Net als bijna ieder kind van gescheiden ouders had ze een tijd lang niets liever gewild dan dat haar ouders weer bij elkaar kwamen, daar maakte haar leeftijd geen verschil in. Tegelijkertijd wist ze echter al dat dit niet zou lukken. Het zou waarschijnlijk ook niet verstandig zijn. Govert paste veel beter bij haar moeder dan haar vader ooit had gedaan, dat moest zelfs Tanja toegeven. Buiten dat zou deze periode altijd tussen hen in blijven staan, dat was onvermijdelijk. Brokstukken konden weliswaar gelijmd worden, maar nooit helemaal onzichtbaar. Er bleef altijd een barst over.

'Wat heb je hem gezegd?' vroeg ze, toch nieuwsgierig naar het antwoord.

'Dat hij kan barsten,' antwoordde Aafke onparlementair. 'Ik heb er geen enkele behoefte aan om te dienen als doekje voor het bloeden nu zijn experiment mislukt is. Sorry Tan, hij blijft jouw vader, maar wat mij betreft is het helemaal afgelopen.'

Tanja knikte langzaam. 'Daar kan ik je ook geen ongelijk in geven, al ligt het voor mij wat genuanceerder. Wat hij gedaan heeft klopt niet, toch zitten er altijd twee kanten aan zo'n verhaal. Waar is hij nu?' vroeg ze haastig toen ze zag dat het gezicht van haar moeder betrok. Het was verstandiger om geen discussie over dit onderwerp uit te lokken, want Aafke was heilig overtuigd van haar onschuld als het om het mislukken van haar huwelijk ging. Alle schuld werd zonder meer op Gerbrand geschoven, zij was het slachtoffer in dit verhaal. Zelfs haar relatie met Govert had haar op dit punt niet milder gestemd. Gerbrand was en bleef de kwade genius.

'Ergens in een tweekamerflat, via een collega van hem,' vertelde Aafke schouderophalend. Zij zat er duidelijk niet mee. 'Het schijnt al een paar weken over te zijn tussen die twee en die flat bevalt hem blijkbaar niet. Dit huis is natuurlijk een stuk rianter, ik ga er maar niet van uit dat het mijn gezellige gezelschap is dat hem doet terugverlangen naar vroeger. Ik dacht eigenlijk dat jij wel op de hoogte zou zijn van de breuk.'

'Ik heb hem al een aantal weken niet gesproken. Ons contact verloopt niet zo vlotjes omdat ik steeds heb geweigerd Claudine te ontmoeten.'

'Nu, daar heb je tenminste geen last meer van. Het was natuurlijk ook wel te verwachten dat het zo zou lopen. Je vader was overigens hoogst verbaasd toen ik hem vertelde dat hij te laat was, hij geloofde me eerst niet.'

Aafke zag er voldaan uit en Tanja kon zich levendig voorstellen hoe het bewuste gesprek tussen haar ouders verlopen moest zijn. Het was natuurlijk niet vreemd dat Aafke hem zeer triomfantelijk voor de voeten had gegooid dat zijn plaats was ingenomen door een ander. Eerlijk gezegd verdiende haar vader dat ook wel, toch had Tanja medelijden met hem. Hoewel misschien niet gebruikelijk, zijn gevoelens voor Claudine waren wel oprecht geweest. Voor haar had hij zijn hele leven omgegooid en alles achtergelaten, het moest een bittere pil voor hem zijn dat het verwachte eeuwige geluk nog geen twee jaar had geduurd. Hij moest zich behoorlijk ongelukkig voelen nu, dat kon niet anders.

'Ga dan naar hem toe,' adviseerde Oscar haar toen ze hem op weg naar de bioscoop op de hoogte bracht van de laatste feiten. 'Vind je dat niet vervelend? We zouden naar de film gaan.'

'Die film loopt echt niet weg,' meende hij nuchter.

'Mijn vader waarschijnlijk ook niet. Hoewel…' Tanja trok een grimas. 'Het zou natuurlijk niet de eerste keer zijn. Maar zo vaak zien wij elkaar ook niet, ik had me echt verheugd op een avond met jou.'

'Lieverd, als jij met je vader wilt praten, moet je dat doen. Sommige dingen hebben nu eenmaal voorrang boven een bioscoopbezoekje. Als jij tijdens die film op hete kolen zit omdat je met je gedachten bij je vader bent, wordt het tenslotte ook geen leuke avond.' Oscar reed zijn auto een parkeerplaats op en zette de motor uit. 'Bel hem in ieder geval op.'

Gerbrand toonde zich zeer verheugd over het telefoontje van Tanja. 'Ik zou het erg fijn vinden als je langskomt,' zei hij eenvoudig.

'Dan kom ik er nu meteen aan,' beloofde Tanja. Ze noteerde het adres, dat vlakbij bleek te zijn.

'Vind je het echt niet erg?' vroeg ze nogmaals aan Oscar.

'Ik zou liegen als ik zeg dat ik het prettig vind dat ons afspraakje niet doorgaat, maar een mens moet doen wat hij moet doen,' antwoordde hij filosofisch. 'Ik zet jou bij je vader af, dan ga ik bij je moeder wat drinken en als jij klaar bent bel je me op en kom ik je weer halen.'

'Een wit voetje halen bij je aanstaande schoonmoeder,' plaagde Tanja.

Tot haar grote verbazing konden Aafke en Oscar het prima vinden samen, al betwijfelde ze wel of dat ook het geval zou zijn geweest als Govert niet op het toneel was verschenen. Haar moeder had nu haar eigen vriendje om zich mee bezig te houden en maakte zich zodoende niet meer zo druk om die van haar dochter. De angst om Tanja kwijt te raken en alleen achter te blijven, was verdwenen en dat was merkbaar in haar gedrag.

Gerbrand zag er slecht uit. Hij maakte een vermoeide, uitgebluste indruk op Tanja, wat extra versterkt werd door het vaalgrijze vest dat hij droeg. Een oudemannenvest, dacht ze onwillekeurig bij zichzelf. De laatste keer dat ze hem gezien had, droeg hij een strak maatpak met een stropdas waar Tanja duidelijk de hand van Claudine in had herkend. In deze kleding paste hij minder bij haar dan ooit.

'Kom binnen,' zei hij na de obligate kus op haar wang. 'Het stelt niet veel voor, maar het is beter dan niets. Dit flatje kon ik huren via een collega. Hij heeft het destijds gekocht voor zijn zoon, maar nu is die jongen afgestudeerd en naar het buitenland vertrokken. Sindsdien verhuurt hij het. Zolang ik nog niets anders gevonden heb, kan ik hier blijven bivakkeren. Ik ben al een beetje aan het rondneuzen voor een leuk koophuisje of appartement.'

'Pap, daar kom ik niet voor,' onderbrak Tanja zijn woordenstroom. 'Mama vertelde me dat het uit is tussen Claudine en jou.'

'Ga me niet vertellen dat je dat erg vindt,' zei hij moedeloos. 'Ik weet hoe je erover dacht. Je moeder zal zich trouwens ook wel verkneukeld hebben.'

'Wat is er gebeurd?' vroeg Tanja zonder op die laatste woorden in te gaan. Het was niet aan haar om de gemoedstoestand van haar moeder met haar vader te bespreken, meende ze terecht.

'Ach, gewoon dat wat waarschijnlijk te verwachten was.' Gerbrand ging zitten zonder haar iets te drinken aan te bieden. Zijn ellebogen leunden op zijn knieën en zijn hoofd hing naar beneden. Van haar vitale vader was ineens weinig meer over. 'Ik ben te oud voor haar. Claudine staat nog midden in het leven terwijl ik langzamerhand naar de zijlijn verschuif. Zij wil 's avonds uitgaan, ik wil thuisblijven. Zij wil carrière maken, ik ben aan het afbouwen. Zij wil een eigen gezin, ik moet er niet meer aan denken om helemaal opnieuw te beginnen op dat gebied. We kregen steeds vaker ruzie over dit soort onderwerpen.'

'Dat had je van tevoren ook wel kunnen bedenken,' zei Tanja scherper dan ze bedoelde.

'Ik weet het.' Gerbrand zuchtte diep. 'Het is mijn eigen stomme schuld.'

'Dat zei ik niet.'

'Maar je bedoelde het wel. Iedereen denkt dat. In mijn gezicht wordt het niet gezegd, maar achter mijn rug om lacht iedereen me uit. Ik zal het er zelf wel naar gemaakt hebben.' Hij liet een kort, bitter lachje horen. 'De beroemde oude bok met het groene blaadje. Hoe cliché. Maar ik dacht echt dat het goed zat tussen ons.' Hij hief zijn hoofd omhoog en keek Tanja vol aan. 'Het was geen bevlieging van me, ik hield echt van haar toen ik eraan begon.'

'Dat weet ik,' zei Tanja zacht. 'Maar sommige verschillen zijn nu eenmaal niet te overbruggen.'

'Nee, dat blijkt wel.' Gerbrand maakte een moedeloos gebaar met zijn hand. Een tijdje staarde hij somber voor zich uit, zonder iets te zeggen.

'Wat ga je nu doen?' vroeg Tanja toen de stilte haar begon te benauwen.

'Niks. Ademhalen en doorgaan,' was zijn verrassend nuchtere antwoord. 'Wat kan ik anders? Ik heb al mijn schepen achter me verbrand. Je moeder heeft me duidelijk te verstaan gegeven dat er geen weg terug meer is.'

'Vind je dat gek?' waagde ze het te vragen.

'Niet echt. Ik hoopte alleen...'

'Dat ze het je zou vergeven en je in een gespreid bedje terug kon komen,' zei Tanja nu hard. 'In plaats van helemaal opnieuw te moeten beginnen. Lekker makkelijk. Het risico dat je ieder moment weer voor een ander kan vallen, is dan geheel aan haar. Gelukkig is mama verstandiger.'

'Het mislukken van ons huwelijk ligt niet alleen aan mij,' merkte Gerbrand op.

'Dat weet ik, juist daarom is het veel verstandiger om het niet nog een keer te proberen. Ik had nooit verwacht dat ik dat nog eens zou zeggen,' zei Tanja toen verbaasd. 'Je ouders zijn toch mensen die onaantastbaar zijn, maar ik kom steeds meer tot de ontdekking dat jullie gewone mensen zijn, met slechte en goede eigenschappen.'

'Je wordt volwassen,' zei Gerbrand met een klein lachje.

'Wat ook wel eens tijd werd,' knikte Tanja met zelfkennis. 'De wereld zit niet zo simpel in elkaar als ik altijd gedacht heb.'

'Ik heb grote fouten gemaakt en ik kan het je niet kwalijk nemen als je me niet meer wilt zien, maar ik hoop toch dat wij gewoon met elkaar om kunnen blijven gaan.'

'Ik ben er toch?' zei Tanja eenvoudig.

Voor het eerst verscheen er nu een echte glimlach op zijn gezicht. 'En daar ben ik heel erg blij om. Ik heb je gemist.'

Tanja zei niet dat dit zijn eigen schuld was. Dat wist hij zelf ook wel, het had geen nut om dat er nog eens extra in te peperen.

Dat ze tegenwoordig voor haar eigen mening uit durfde te komen, hoefde niet automatisch te betekenen dat ze die te pas en te onpas moest verkondigen.

Tegen de verwachtingen in werd het nog een gezellige avond. Tanja vertelde uitgebreid over Oscar, waarop Gerbrand zei dat hij hem graag wilde ontmoeten.

'Hij komt me zo halen, misschien kunnen we met zijn drieën nog iets drinken,' stelde Tanja voor.

Ze was benieuwd hoe haar vader hem zou vinden. Ook al was Gerbrand voor haar, na alles wat er gebeurd was, dan niet langer meer de man die alles beter wist en tegen wie ze opkeek, ze stelde toch nog steeds prijs op zijn mening. Hij was tenslotte haar vader. Ze was blij dat ze hem weer terug had.

SLOT

Tanja stortte zich vol enthousiasme op haar opleiding. Ze vond het zelfs nog leuker dan ze verwacht had en kon bijna niet wachten om al het geleerde straks in de praktijk te brengen. Haar leven kreeg veel meer lijn de laatste tijd nu ze een doel had om naar toe te werken. Ze doolde niet langer besluiteloos rond, ze was gericht bezig met haar toekomst. Buiten dat was ze niet langer het onmondige kind van haar ouders, maar bouwde ze met hen, met ieder afzonderlijk, een gelijkwaardige band op. En, last but zeker not least, ze had Oscar. Hij was in korte tijd uitgegroeid tot haar minnaar, haar maatje en haar steun en toeverlaat. Hoewel ze niet op zoek was geweest naar een relatie kon ze zich het leven zonder hem niet meer voorstellen. Hij was de saus over het vlees, om het zo maar eens te zeggen. De finishing touch van haar bestaan. Het feit dat hij bestond loste niet alles op, maar maakte de problemen die ze tegenkwam wel makkelijker te aanvaarden. Zolang hij naast haar stond kon het tenslotte nooit zo heel erg zijn. Oscar verliezen was het ergste wat Tanja kon gebeuren en zolang dat niet het geval was kon ze alles aan. Ze had vertrouwen in zichzelf, iets waar het vroeger nog wel eens aan schortte.

Het naarstige zoeken naar een andere baan waarbij ze genoeg verdiende om op zichzelf te gaan wonen, had nog geen vruchten afgeworpen, maar dat werd opgelost toen ze op een dag bij de personeelsmanager van het verzorgingstehuis werd geroepen.

'Twee van onze fulltime krachten nemen binnenkort afscheid, dus als je nog steeds belangstelling hebt kunnen we je terugplaatsen in je oude functie,' zei hij zonder enige inleiding.

Blij verrast hoorde Tanja hem aan. Hier had ze op gehoopt, want hoewel ze in de toekomst iets anders wilde gaan doen werkte ze hier nog steeds naar haar zin. Ze bleef liever hier werken dan ergens anders opnieuw te moeten beginnen, zeker gezien het feit dat haar volledige opleiding tot medisch pedicure over twee jaar afgerond zou zijn.

'Dat wil ik heel graag,' antwoordde ze dan ook meteen. 'Alleen volg ik een opleiding waarvoor ik één dag per week naar school ga. Is dat te regelen met mijn diensten?'

'Dat moet te doen zijn, mits je bereid bent die uren op andere dagen in te vullen. Je zult dan wat vaker in het weekend inge-roosterd worden,' was het antwoord.

'Geen enkel probleem. Fijn,' zei Tanja vrolijk.

Yes! In de gang maakte ze een klein vreugdesprongetje. Weer iets wat opgelost was. Nu alleen nog woonruimte zoeken, dan was alles compleet. Het had lang geduurd voor ze wist wat ze wilde en volwassen genoeg was om dat ook uit te voeren, maar eindelijk viel dan toch alles op zijn plaats.

Na afloop van haar dienst die dag zag ze op haar mobiel dat haar vader gebeld had.

'Bel me even terug, ik heb wellicht goed nieuws voor je,' hoor-de ze via de voicemail.

Nieuwsgierig toetste ze zijn nummer in. Goed nieuws kon ze altijd gebruiken, daar kreeg een mens nooit teveel van. Als zijn goede nieuws maar niet inhield dat hij terug was bij Claudine, schoot het toen door haar heen. Dat zou alleen voor hem goed nieuws betekenen, maar zeker niet voor haar. Wat Gerbrand haar te vertellen had, was echter van een heel andere strek-king.

'Ik heb een appartement gekocht,' viel hij met de deur in huis. 'In die nieuwe flat aan de rand van het centrum. Begin volgen-de maand is de overdracht.'

'Fijn voor je,' zei Tanja welgemeend. Ze vroeg zich af waarom hij dit goede nieuws voor haar had genoemd, maar bij zijn vol-gende woorden hield ze haar adem in van blijdschap.

'Met mijn collega van wie dit flatje is heb ik geregeld dat jij de huur over kunt nemen. Ik weet dat je nog geen andere baan hebt, maar tot het zover is wil ik de huur voor je betalen.'

'Dat is niet nodig. Sinds vandaag heb ik mijn oude baan weer terug,' juichte ze. 'O pap, dit is geweldig! Alles past ineens als een puzzel in elkaar. Wanneer kan ik erin?' vroeg ze gretig.

Gerbrand lachte. 'Ik denk dat ik aan een week wel genoeg heb om dat appartement in orde te brengen, er hoeft weinig aan te gebeuren.'

'Oscar zal je wel helpen, hij is nogal handig,' beloofde Tanja roekeloos.

Ze huppelde gewoonweg naar haar auto toe. Na al die moeizame maanden waarin niets leek te lukken, werd nu alles in één dag in haar schoot geworpen. Mooier kon het niet. Het flatje waar haar vader momenteel in bivakkeerde was klein, maar groot genoeg voor haar alleen. En sowieso een stuk beter dan een zolderkamer of een etage bij iemand in huis, bovendien was de huurprijs schappelijk. Van haar salaris kon ze goed de vaste lasten opbrengen, rekende ze snel uit. Een eigen auto zou er voorlopig nog niet inzitten, maar dat was het ergste niet. Ze kon prima fietsen en een mens moest iets te wensen overhouden.

'Goed nieuws!' brulde ze direct bij binnenkomst. Govert was er ook. Hij zat samen met Aafke in de kamer en ze schrokken op bij haar luidruchtige binnenkomst.

'Wij ook,' schreeuwde hij gezellig terug. 'Maar jij mag eerst.'

'Ik heb mijn oude baan terug en ik heb woonruimte,' raffelde Tanja achter elkaar af. 'Volgende maand ben je van me af, mam.'

'Maar…' begon Aafke.

'Geweldig nieuws,' viel Govert haar in de rede. Hij wierp haar een veelbetekenende blik toe die Tanja ontging.

'Dat dacht ik ook, ja. En nu jullie.' Vragend keek Tanja van de een naar de ander.

'Ik heb vanochtend mijn rijbewijs gehaald,' vertelde Aafke trots.

'Echt? Mam, dat is fantastisch! Gefeliciteerd. Je hebt helemaal niet verteld dat je examen moest doen.'

'Dat was zelfbehoud voor het geval ik zou zakken,' zei Aafke nuchter als altijd.

'Ik vind het echt geweldig dat je dit hebt gedaan,' zei Tanja hartelijk. De woorden 'op jouw leeftijd' hield ze nog net binnen, al dacht ze het wel. Aafke zou dat echter zeker niet waarderen, die steigerde altijd bij dat soort opmerkingen.

'Al dat goede nieuws moeten we vieren,' kondigde Govert aan. 'Bel die kloris van je op, dan gaan we met zijn vieren uit eten.

Ik trakteer.' Weer keek hij Aafke met zo'n veelzeggende blik aan, deze keer zag Tanja het wel. Er was nog meer, begreep ze. Haar hart klopte opgewonden in haar borstkas. Het leek allemaal niet op te kunnen vandaag. Dit werd echt zo'n dag met een gouden randje, zo'n dag die je nooit meer vergat.

Een paar uur later zaten ze met zijn vieren in een goed bekendstaand restaurant. Govert was de eerste die zijn glas ophief naar de rest.

'We hebben aardig wat te vieren,' begon hij.

Tanja knikte instemmend. 'Hoewel,' bedacht ze toen lachend. 'Eigenlijk ben ik helemaal niet zo blij met jouw rijbewijs, mam. Nu pik jij de auto natuurlijk in.'

'Je krijgt er iets anders voor terug. Ons huis,' flapte Aafke eruit.

'Nou, tot zover dus onze verrassing,' zuchtte Govert. Quasi bestraffend keek hij haar aan. 'Dit was niet de manier waarop we het wilden brengen.'

'Ik ben ook zo opgewonden,' verontschuldigde Aafke zich.

Tanja keek niet-begrijpend naar haar moeder. Wat was dit? Waar sloeg dit op?

'Wat bedoel je precies?' vroeg ze voorzichtig.

'Ik heb je moeder vandaag ten huwelijk gevraagd,' verkondigde Govert trots.

'En ik heb ja gezegd,' vulde Aafke direct aan. 'We trouwen over drie maanden en daarna ga ik bij Govert wonen. Nu hadden we zo gedacht dat jij en Oscar mooi in het huis kunnen gaan wonen. Op die manier blijft het toch in de familie en jullie hebben meteen goede woonruimte, waar je niet snel uit zult groeien.'

'Maar... Ik heb net een flatje gevonden,' stamelde Tanja beduusd. Ze was helemaal overdonderd door de wending die dit gesprek nam.

'Zo'n klein flatje is leuk op je achttiende, maar daar trek je natuurlijk niet in als je een heel huis tot je beschikking hebt,' zei Aafke resoluut. 'Dit is een prachtige oplossing, Tanja.'

'Dan kunnen we samen gaan wonen,' zei Oscar nu. Hij pakte Tanja's hand vast en kneep er opgewonden in. 'Mijn huisje is daar te klein voor en die flat waar je vader nu woont ook. Dit is een fantastische kans, liefste. Die krijgen we nooit meer.'

'Nee, dat zal wel niet,' reageerde Tanja lauw. De gedachten tolden als razenden door haar hoofd heen. Er kwam ineens zoveel op haar af dat ze door de bomen het bos niet meer zag. Samenwonen met Oscar, in haar ouderlijk huis... Een groot, mooi, zonnig en goed onderhouden huis. Ze zou een gat in de lucht moeten springen van blijdschap. Maar eerlijk gezegd was ze die middag veel blijer geweest met het kleine flatje van haar vader dan met dit genereuze aanbod. Plotseling kreeg ze het benauwd.

'Sorry, ik moet...' mompelde ze. Met een ruk schoof ze haar stoel naar achteren en ze vluchtte bijna het restaurant uit.

Oscar en Aafke, geanimeerd pratend over deze plotselinge plannen, leken het amper te merken. Het was Govert die Oscar waarschuwde.

'Ik geloof niet dat het goed gaat met Tanja, als ik jou was zou ik achter haar aan gaan,' zei hij.

'Naar het toilet?' vroeg Oscar verbaasd.

'Ze is niet naar het toilet.' Hij wees naar het gangetje naast de bar, dat naar de uitgang leidde. 'Ze is naar buiten.'

Oscar was al weg voor hij goed en wel uitgesproken was. In de schemerige tuin van het restaurant keek hij zoekend om zich heen voor hij haar ontdekte. Ze leunde tegen het hek dat de tuin scheidde van een stuk grasland waar paarden graasden.

'Hé, wat is er nou opeens?' vroeg hij zacht terwijl hij naast haar ging staan. 'Voel je je niet goed?'

'Ik kreeg het ineens zo benauwd. Al die plannen...' Tanja huiverde.

'Ja, ik weet het. Overweldigend hè?' Oscar lachte. 'Het is fantastisch dat we zomaar een huis in onze schoot geworpen krijgen. Dat versnelt onze toekomstplannen met sprongen.'

Tanja haalde diep adem. De verleiding was groot om niets te zeggen en alles uit te voeren zoals haar moeder gepland had. Ze had zo lang alles gedaan wat anderen wilden dat het haar moeite kostte om de woorden uit haar keel te krijgen. Maar ze moest. Als ze zich nu weer mee liet voeren zonder voor haar eigen mening uit te komen, was alles voor niets geweest. Aan de andere kant nam ze een enorm risico door te zeggen wat ze op haar hart had. De kans dat Oscar haar niet zou begrijpen, waardoor er opnieuw een relatie van haar op de klippen zou lopen, was levensgroot aanwezig en dit keer zou ze dat niet kunnen verdragen. Zichzelf verloochenen om ten koste van alles Oscar te behouden was echter ook geen optie. Dat zou zichzelf later ongetwijfeld wreken.

'Ik wil helemaal niet met je samenwonen!' stiet ze uit.

Ondanks de snel invallende duisternis zag ze dat zijn gezicht vertrok. Haar hart kromp ineen van ellende, maar ze kon nu niet meer terug. Ze wilde ook niet meer terug. Als ze nu niet deed wat ze zelf wilde, kwam het er nooit meer van. Dan bleef ze de rest van haar leven een doetje, iemand zonder eigen wil en zonder eigen mening.

'Waarom niet?' vroeg Oscar schijnbaar kalm. 'Ik weet dat we nog geen concrete plannen hebben, maar ik dacht dat we zeker van elkaar waren.'

'Dan ben ik ook. Ik hou van je, Oscar, dat moet je geloven.'

'Maar?' Hij keek haar peilend aan.

'Maar ik ben nog niet aan de volgende stap toe,' zei Tanja met de moed der wanhoop. 'Ooit wil ik met je samenwonen, trouwen en kinderen krijgen, alleen niet op dit punt van mijn leven. Ik wil trouwens geen huis dat we zomaar krijgen, ik wil samen ergens klein beginnen en het dan opbouwen. Zelf werken voor een huis, voor spullen, voor alles. Straks, niet nu. Nu wil ik mijn studie afmaken, misschien een eigen praktijk opzetten en op mezelf wonen. Alleen.'

'Oké,' zei Oscar rustig. 'Als dat is wat jij wilt, dan doen we dat.'

'Meen je dat?' vroeg Tanja verbaasd. Onzeker keek ze naar hem op. Ging het echt zo makkelijk?

'Als ik af en toe maar bij je mag logeren,' vervolgde hij met een klein lachje.

'Bedoel je...? Wil je...?' Tanja stotterde van agitatie. In een half uur tijd waren haar emoties alle kanten op geslingerd en ze wist nu niet meer waar ze aan toe was.

'Tanja, ik hou van je,' zei Oscar nu ernstig. Hij nam haar gezicht in zijn handen en keek haar liefdevol aan. 'Ik wil niets liever dan samen met jou in één huis wonen, maar als jij er nog niet aan toe bent wachten we daar nog even mee. Onze tijd komt vanzelf wel. Je hebt trouwens ook wel gelijk. Ik was zo opgewonden over dat voorstel van je moeder dat ik niet meer logisch nadacht.'

Langzaam brak er een stralende lach door op Tanja's gezicht. Dit was het, de onvoorwaardelijke liefde, steun en begrip voor háár persoontje die ze tevergeefs bij Benjamin en Jos had gezocht. Het feit dat Oscar haar gevoelens zonder meer accepteerde en ook respecteerde, zei haar alles wat ze wilde weten. Ze ging op haar tenen staan en gaf hem een tedere zoen.

'Onze tijd komt zeker nog wel,' beaamde ze innig. 'Jij bent de man met wie ik oud wil worden, dat staat buiten kijf.'

'Natuurlijk,' sprak hij vol vertrouwen. 'Ik heb je bij onze eerste kennismaking al gezegd dat ik me niet zo makkelijk weg laat jagen.'

Met zijn armen stevig om haar heen bleven ze zo nog even staan. Lang konden ze dit moment niet rekken, tenslotte zaten haar moeder en Govert binnen op hen te wachten. Langzaam liepen ze terug naar de eetzaal. Tanja ving de afkeurende blik van Aafke op, maar zelfs dat bracht haar niet aan het twijfelen over haar besluit, al wist ze van tevoren dat haar moeder zeker niet blij zou zijn met het torpederen van haar plannen. Jammer dan, dacht ze onbekommerd bij zichzelf. Haar moeder bepaalde haar toekomst niet langer, die hield ze zelf stevig in beide handen vast. Een toekomst die haar vrolijk toelonkte. Een toekomst samen met Oscar en hopelijk hun eigen gezin. Ooit. Wanneer ze er zelf aan toe was.